Onder woorden

Jan Renkema (red.)

Onder woorden

Gesprekken over stilte

met onder anderen

Isabel Bakkers

Jan Bluyssen

Rudi Fuchs

Leontien van Moorsel

Lianne van de Ven

Theun de Vries

Sdu Uitgeverij Koninginnegracht, 's-Gravenhage 1992

Deze bundel verscheen ter gelegenheid van de openstelling van het Stiltecentrum op het terrein van de Katholieke Universiteit Brabant.

Eerste druk mei 1992
Tweede druk augustus 1992

Foto's: Peter Cox, Ben Bergmans, Walle Nauta en Natascha, Amsterdam.
Foto omslag: Bart Versteeg, 's-Gravenhage

Vormgeving: Wim Zaat, Moerkapelle
Zetten en opmaak: Velotekst (B.L. van Popering) 's-Gravenhage
Druk en afwerking: Ten Brink Meppel BV

ISBN 90 12 06614 X

Inhoud

Voorwoord

De aanleiding tot dit boek is de opening van een stiltecentrum op de campus van de Katholieke Universiteit Brabant. Het half ondergrondse gebouw in de vorm van een slakkehuis, staat vlak naast het 'high tech' documentatie- en informatiecentrum, waarmee de Tilburgse universiteit 'de meest geavanceerde bibliotheek en de modernste studieplekken van Europa' heeft.

In dit boek worden begripsbepalingen van stilte gegeven aan de hand van gesprekken waarin gevraagd werd naar associaties bij stilte. De hier gepubliceerde gesprekken zijn bedoeld voor de bedachtzame lezer, die af en toe ook stil wil staan bij wat er niet gezegd, maar wel opgeroepen wordt. Er is gestreefd naar enige variatie in zwaar-licht, mannelijk-vrouwelijk, jong-oud enz. Voor een beter begrip zijn telkens enkele inleidende woorden toegevoegd.

Stilte kent vele verschijningsvormen: de stilte van een schilderij, de stilte van het sur place op de wielerbaan, de stilte van de meditatie, de stilte voor de storm, de stilte van het zachte neuriën. Stilte heeft ook vele kleuren: stilte is verheffend, bedreigend, verzachtend, richtinggevend, gek-makend. Ook deze reeks teksten bevat een diversiteit aan betekenissen van het woord 'stilte'.

De keuze van de personen is bepaald door de plaats en de functie van het stiltecentrum, en door standaardassociaties bij stilte, zoals 'meditatie', 'concentratie', een 'stilleven' enz.

Heel interessant is uiteraard wat min of meer bekende Nederlanders over stilte te zeggen hebben, maar belangrijk voor een representatief beeld zijn ook de verwoordingen van zomaar een studente uit de koffiekamer of een buurvrouw die wel eens aan yoga doet.

Omdat dit boek verschijnt naar aanleiding van de opening van een stiltecentrum is een drieluik opgenomen van de initiator, de architecten, en de stimulator. Dit stiltecentrum zal een functie vervullen binnen een onderwijsinstelling. Daarom zijn ook gesprekken gevoerd met studenten en docenten. Een jongerejaars studente registeraccountancy die met haar vader elke zondag de natuur ingaat, en een docent economie die zich heeft laten inspireren door Krishnamurti. Een studente die eerst wil afstuderen voor ze haar kind krijgt, en een docent theologie die jarenlang beziggeweest is met de middeleeuwse mysticus Eckhart. Toevallig kwam er ook nog een hoogleraar sociale psychologie uit Amerika op bezoek om onderzoek te doen naar stiltebeleving in Europa; hij geeft inzicht in de veelzeggende stilte. De associaties bij stilte hebben verder geleid tot gesprekken met een bisschop die vindt dat ook als het stil is, de ramen open moeten zijn, met een kunstenaar die de stilte in kringloop verbeeldt, met een wereldkampioene wielrennen die zelfs vlak voor de start gewoon doorpraat. En verder variëren de bijdragen van therapeutische stilte tot stilte in een speelgoedwinkel, van stilte in het drukke vergadercircuit tot stilte in een gesloten psychiatrische afdeling, van stilte in een museum tot verstilling in popmuziek. Voor de spreiding in leeftijd zorgen een meisje van 11 dat stil is als ze fluit speelt, en een schrijver van 85 die het isolement in politieke stellingname heeft gekend.

De ondervraagde personen zijn totaal verschillend, maar alle gesprekken hadden iets gemeenschappelijks. De vraag naar stilte riep altijd iets op dat niet in woorden is te vangen. Taal kan alleen omschrijven, oproepen, suggereren. Stilte kan bij wijze van spreken alleen hoorbaar worden ónder woorden.

Met dank aan: initiator Frans Teunissen, die zo creatief inspeelde op onvrede met wetenschap-alleen; bestuurder Piet Verheyen, die zo gericht is op nieuwe vormen voor identiteit; stimulator Henk Witte, die het belang van begripsbepaling uit het leven benadrukte. Met dank ook aan Ben Beljaars, Ronald de Brouwer en Cathy de Waele voor ondersteuning vanuit het Centrum voor Wetenschap en Levensbeschouwing.

Een penvoerder lijkt te werken op eigen kracht, maar dat is slechts schijn. De Tilburgse Letterenfaculteit heeft mij, stilzwijgend, de gelegenheid gegeven bezig te zijn met de achterkant van tekst. En zonder de kleine familie en de grote familie (de gemeenschap De Hooge Berkt in Bergeyk) had ik nooit zo stil gestaan bij de binnenkant van taal.

Tilburg, carnaval 1992   Jan Renkema

1

Mijn vader, de natuur en ik

ISABEL BAKKERS

Zomaar een student uit de koffiekamer: ze is tweedejaars, studeert voor registeraccountant en woont op kamers. Het studentenleven bevalt haar prima.

Stilte is voor mij een medicijn, een ontsnapping uit de stress van alledag, een ontspanning. Voor mijn eindexamen atheneum maakte ik me heel zenuwachtig. Ik had best goede cijfers, maar ik raakte vaak gestresst. Dan zei mijn vader: kom op, we gaan wandelen, in de duinen. En dan kon ik er weer tegen.

Jammer genoeg is er bijna nergens stilte. Overal hoor je muziek en herrie, of schreeuwende kinderen. Mijn moeder zei: koop dan oordopjes. Maar ja, je moet er mee leren leven dat er weinig stilte is. Vroeger ergerde ik mij vreselijk. Als ik thuis naar bed ging, wilde ik altijd de tv drie standjes zachter. En als ik op bed lag, ging ik heel ingespannen luisteren of ik toch nog iets hoorde. Maar ik heb mezelf zover gekregen dat ik me er niet meer aan erger.

Ik kom over die ergernis heen door te bedenken dat ik nog een beetje slaap als ik me niet opwind. Als iemand in het huis naast je om twaalf uur 's nachts een stereotoren wil opblazen, dan heb je trouwens weinig keus. Het is meer noodgewongen. Altijd diep in de nacht komt een man met veel geraas langs mijn raam. Dan denk ik: daar is-ie weer; zo meteen verder slapen. Wat ook helpt, dat is de gedachte dat iedereen wel iets heeft. De een is luidruchtig, en ik ben eigenwijs.

Stilte is voor mij op zondagochtend, heel vroeg, met mijn vader in de duinen en de bossen lopen. Dat doen we elke week. Niet langs de paden, gewoon door de struiken, over het zand. We kennen het daar heel goed, weten altijd precies waar we zijn. Heel vroeg, dan is er verder niemand. We vinden het altijd jammer als we afdrukken van voeten zien. Stadsmensen zien zo'n plek als zoveel vierkante meter zandbak. Maar wij voelen ons echt thuis in de natuur.

Als klein kind ging ik al met mijn vader de natuur in. En hij vertelde dat hij ook al als jongetje met zijn vader meeging. Misschien zit het wel in mijn chromosomen. Mijn verre voorouders waren al jager of jachtopziener. Alléén in de bossen, dat vind ik niks.

In zo'n stilte kan alles eens rustig naar boven komen. De radertjes malen wel, maar het relativeert: is het wel nodig dat je je zo druk maakt? Af en toe zeggen we wat. En dan hoor je ver weg een vogel. Er gebeurt eigenlijk niks. Maar ik krijg er altijd veel energie van.

Mijn moeder gaat vaak naar een kapelletje. Dan steekt ze een kaarsje aan. Ze vindt het fijn wanneer ik af en toe meega. Dat doe ik ook wel, maar de kerk is zo gedefinieerd. Zo'n kapel, daar zit weer een geloof aan vast. Ik heb een heel goed contact met haar hoor. Toen ik het even niet zag zitten, stond ze direct op de stoep.

De natuur geeft mij veel meer het vrije gevoel. De natuur maakt het nadenken over het leven ook betrekkelijk. Eén knip, en het lampje kan uit zijn. Mijn geloof zegt dat het dan niet ophoudt. Hierna komt er nog wel iets waar onze ziel mee te maken heeft. Ik denk dat iedereen wel in een hogere macht gelooft.

Mij trekt de natuur omdat die eerlijk en oprecht is. Dieren doden omdat ze honger hebben, maar mensen doen het zomaar! De natuur is misschien wel beter dan de mensenwereld. Ze zeggen wel eens dat de natuur hard is, maar de mensenwereld is nog harder. Heel veel diersoorten proberen eerst nog hun zwakkere soortgenoten te beschermen. Mensen kijken altijd eerst of ze er zelf beter van worden. Mijn oma is dement, en de bloemist stuurt voor hetzelfde bosje bloemen drie keer een rekening! Onze overbuurman is doodgegaan, maar dat wisten we niet eens!

In die oprechte natuur voel ik me thuis. Daar hoef je niet op je hoede te zijn. Bij de meeste mensen heb ik altijd het gevoel van 'wat je zegt, kan tegen je worden gebruikt'. Ik ben ook zo belazerd door mensen die ik echt jaren heb vertrouwd! En nu maak ik nog regelmatig mee dat ik iemand in vertrouwen iets vertel, en dat ik het via via op een negatieve manier terughoor. Veel mensen zijn eigenlijk niet te vertrouwen. Maar gelukkig is niet iedereen zo.

Over stilte kan ik alleen nog dit zeggen. Er is iets dat ik van generaties geleden heb meegekregen. Dat komt alleen naar boven als ik ver weg ben van drukke mensen met eigenbelang. Het geeft rust in tijden van stress. En als ik dan in de vroege ochtend een hert tegenkom, dan kunnen de tranen mij over de wangen stromen. Dan wordt stilte zoiets als: mijn vader, de natuur en ik.

2

De denker en het gedachte

ROB DE GROOF

Hij doceert economie aan de Katholieke Universiteit Brabant en heeft enkele studieboeken geschreven. Vijftien jaar geleden is hij cum laude gepromoveerd op een onderwerp dat nu heel actueel is: de vraag waarom en met welk effect een technische ontwikkeling wordt gestimuleerd.

Vaak vragen ze mij waarom ik er niet op ben doorgegaan. Ik ben niet het type om alles op één kaart te zetten, althans niet waar het aardse zaken zoals een carrière betreft. Dergelijke zaken zijn zo relatief. Om een voorbeeld te geven: mijn vrouw en ik zijn deze maand veel bezig geweest met het opruimen van een inboedel van twee tantes. Die hebben hun hele leven dingen verzameld, waaraan ze nu niets meer hebben. – Ik heb al twee broers verloren. Ik vermoed dat dat toch komt door het Jappen-kamp. – Ik train elke dag, onder andere voor de marathon, en er is nog zoveel meer, nog afgezien van een gezin met drie studerende kinderen.

Het eerste waaraan ik denk bij stilte is 'gemoedsrust'. Dan wordt stilte voor mij het meest voelbaar, zichtbaar. De stilte, ik bedoel natuurlijk de innerlijke stilte, kun je heel gemak-kelijk wegjagen door je innerlijk tumult. Als er geen stilte is, ligt dat aan jezelf.

Er is stilte, als ik gefascineerd ben door een boek of als ik opga in muziek of een mooi mens zie of een prachtig schouwspel in de natuur. Het enige wat er dan is, dat is het verhaal in dat boek, die mens enz. Dan is er geen tumult in mij, niet het 'ik' dat zich bedreigd voelt, dat zich meent te moeten verdedigen. Stilte is voor mij de afwezigheid van het ego, dat zichzelf zo au serieux neemt en bang is voor de dood. Het 'ik' móét niet afwezig zijn, maar het is er dan gewoon even niet. Daardoor is er schoonheid. Zodra het 'ik' zich ertussen schuift, treedt het bederf in. Het 'ik' wil altijd iets toevoegen aan wat is, goedkeurend of afkeurend. Het 'ik' is altijd op zoek naar de kik.

Als wetenschapper oordeel ik uiteraard. Maar dat zijn oordelen in termen van: deze hypothese impliceert dit of dat. Zulke ratio-oordelen kunnen in stilte worden ontwikkeld. Dan ontstaat als vanzelf de concentratie voor het beoefenen van wetenschap. Die concentratie is een gave. De meeste wetenschappers zijn wat dat betreft begaafd. Ons soort mensen komt vanuit interesse via geboeidheid tot concentratie. Dan is het 'ik' even stil. Maar er zijn nog heel andere oordelen dan wetenschappelijke oordelen. Dat zijn, wat ik maar noem, de ik-vind-oordelen: goed of slecht, mooi of lelijk. Die oordelen zorgen ervoor dat het 'ik' zijn eigen belemmering is voor de stilte.

Het lijkt erop dat ik het 'ik' nu afschilder als een soort duivel. Dat is te sterk. Maar je zou bij het 'ik' wel kunnen spreken van erfzonde: dat wat ons uit het paradijs heeft verdreven. En met paradijs bedoel ik dan een leven in harmonie en schoonheid.

Na mijn promotie ben ik een tijdje wat anders gaan doen. Ik raakte gefascineerd door yoga. Ik heb veel mensen ontmoet die mij echt iets geleerd hebben. Je zou ze goeroes kunnen noemen, maar gelukkig waren het leermeesters die mij juist waarschuwden tegen goeroes. Van hen hoorde ik: "Geloof niet wat ik zeg, maar ga er vanuit en controleer het."

Een van de mensen aan wie ik veel te danken heb, is Krishnamurti. Het waren jaren van enorme worsteling, dat niet-geloven en controleren. Steeds viel ik weer in de kuil van het theoretiseren: het geloven zonder verificatie in de diepste vezels van lichaam en ziel. Maar uiteindelijk heb ik, als het ware aan den lijve, kunnen verifiëren wat ik zojuist over het 'ik' heb gezegd.

Een voorwaarde voor dat verifiëren is dat je aandacht ter beschikking stelt voor wat zich in je afspeelt. Het gaat er in eerste instantie om dat je toeschouwer bent van wat er in je gebeurt. Een voorbeeld ter verduidelijking. Neem leedvermaak. Je moet eerst waarnemen, herkennen dat je genoegen schept in de tegenslag van anderen. Dan volgt de erkenning dat er iets gebeurt wat volgens jouw normbesef niet mag. Daarna de acceptatie dat ook jij dat doet. Dat kan heel pijnlijk zijn. Pas wanneer je hier doorheen bent, ben je tot echte compassie in staat. Die compassie komt er niet wanneer je je hele leven het leedvermaak ontkent.

Die aandacht voor wat zich afspeelt, dat is de stilte. Dat is als het ware de achtergrond van wat je waarneemt. Tussen al die kakelende gedachten en die vurige emoties zie je 'gaten van stilte'. Het is zoiets als een blauwe lucht waarlangs wolken jagen. De wolken, dat zijn stukjes van jouw 'ik' en het blauw is de stilte. Als je dan dieper kijkt, zie je dat de wolken uit het blauw voortkomen en er weer in opgaan. Je gaat ontdekken dat die aandacht permanent, eeuwig is zoals het blauw dat is.

Die aandacht kan heel gemakkelijk een vorm aannemen, zoals water de vorm aanneemt van een glas, van een dakgoot. In de wetenschap bijvoorbeeld krijgt aandacht de vorm van interesse. Heel vaak krijgt aandacht de vorm van een conflict, een conflict tussen dat wat is en dat wat het 'ik' ervan maakt. Weer een voorbeeld. Tijdens een gesprek ontstaat als vanzelf een oordeel over de ander. Maar dat oordeel komt vrijwel zeker niet overeen met wat de ander is. Voor zover de ander niet past in mijn oordeel, ontstaat er een conflict. In feite zijn 'ik' en 'conflict' synoniemen. Door het herkennen, erkennen en accepteren van je eigen oordeel kom je uit zo'n conflict. Dan ontstaat er een ontspanning; het oordeel wordt zo ontmaskerd. De aandacht richt zich dan op het conflict én het zien ervan. Ik heb het over de aandacht die het oordeel waarneemt. Weer een beeld. Zie het maar als een klontje ijs in water. Neem het geval dat ik zie, ervaar, dat ik gekwetst word. Het 'zien' is dan het water, en de 'kwetsing' is het ijs. Als ik mij identificeer met de kwetsing, ben ik alleen het klontje ijs. Als ik ook 'zie', ben ik het water waarin het ijs drijft. En ijs is zelf ook een verschijningsvorm van water.

Er is nog een heel belangrijke volgende fase: Wie neemt waar? Wie erkent, herkent, accepteert? Krishnamurti heeft ons steeds het volgende voorgehouden: "Stel jezelf de vraag: is er verschil tussen de waarnemer en het waargenomene, tussen de ziener en het geziene, tussen de oordelaar en het geoordeelde, tussen de denker en het gedachte?" Krishnamurti had het steeds over deze vraag. Zelf heeft hij geen antwoord gegeven.

Ik denk dat dit de belangrijkste vraag is. Ik heb een sterk vermoeden dat deze vraag in christelijke termen gelijk is aan de vraag: "Ben jij misschien ook een zoon van God?" Of iets begrijpelijker geformuleerd: "Ben jij ook innig geliefd door God?" Deze vraag is niet intellectueel te benaderen. Neem een viewmaster, waarin twee beelden tot één kunnen worden. Aanvankelijk zie ik twee beelden, en plotseling zie ik één beeld en daarmee ook diepte. Je kunt ook denken aan dat plaatje van die heks en die mooie vrouw. Je kunt niet besluiten om het een of het ander te zien; dat gebeurt gewoon.

Als je intens de vraag stelt naar het verschil tussen de denker en het gedachte, dan word je ruimer, dan komt er rust over je. Je krijgt een antwoord dat geen antwoord is. Er komt een perspectief zonder dat je conclusies kunt trekken. De vraag stellen is van levensbelang; niet het antwoord krijgen. Alsof het antwoord bestaat! Serieus en hartstochtelijk de vraag stellen kan bevrijdend werken, niet het verkrijgen van een antwoord. Dat antwoord, welk antwoord dan ook, voldoet op den duur toch niet.

Ik kan niet zeggen hoe ik met die vraag omga. Wel vergeet ik vaak die vraag te stellen. In feite ben ik dan bezig de andere heer te dienen. Je kunt niet twee heren tegelijk dienen. De ene heer is het 'ik', je ego. Dus je status en wat je denkt dat je zelf bent, en hoe je denkt te zijn in de ogen van anderen. Die andere heer, dat is de aandacht. Daar zijn zoveel woorden voor, maar die klinken heel snel gezwollen. Dat wat je ten diepste bent. Je kunt het dus niet zien en er niets over zeggen. Je bént het. Je kunt het liefde noemen, en veel mensen noemen het God. Die God ben je dan in het diepst van je gedachten, zoals Kloos dichtte. Het is het besef dat je van dezelfde grondstof bent als God. Waarvan zou je anders gemaakt kunnen zijn? Velen zien dat als hoogmoed, maar dat is het niet. Een golfje in de oceaan is toch ook niet hoogmoedig als het zegt dat het van oceaanwater is. Het golfje is niet dé oceaan, want het komt eruit voort en het verdwijnt erin.

Als ik naga wat ik hiermee doe in mijn werk, dan word ik me ervan bewust dat het wetenschappelijk bedrijf in zekere zin schizofreen is. Je bent toch altijd bezig twee heren te dienen. Er kan veel spanning ontstaan tussen dat wat je

werkelijk interesseert en publikabele prestaties. Zo langzamerhand leer ik ruimte geven aan de echte interesse in het
vertrouwen dat er dan ook iets van kwaliteit komt. In de
colleges leer ik minder dan voorheen te scoren, en slaag ik
er beter in de studenten te respecteren. Er komt zo meer
ontspanning in de overdracht. Met nadruk: ik duid hier een
proces van vallen en opstaan.

Stilte is voor mij een kwaliteit van leven die alles doordringt,
zelfs het rumoer. Dat betekent dat je ontspannen kunt zijn
in je gespannenheid. Dan gaat die gespannenheid niet meer
met je op de loop. Dan 'berijd je de tijger van de gespannenheid'.

Waarom ik stilte een kwaliteit van leven noem, weet ik niet
goed. Ik denk dat ik gewoon een ander woord bedoel, een
woord dat ik niet zo graag gebruik en waar ik heel huiverig
voor ben. Daarom gebruik ik 'kwaliteit', maar ik bedoel
eigenlijk gewoon liefde.

Met de vraag naar het verschil tussen denker en gedachte
blijf ik bezig. Soms denk ik 'ja', soms 'nee'; soms erger ik
mij aan de vraag. Maar dan bevind ik mij nog in het tumult.
Heel soms kom ik in het geheimzinnige midden tussen 'nee'
en 'ja'. Dan ben ik sprakeloos. Dan is er echte stilte. Dan
komt er een doorkijk, een peilloze diepte. Ik word er ook
snel weer uitgesmeten, uit dat paradijs. Of misschien doe ik
dat zelf wel. Misschien is dat ook wel nodig om in dit aardse
leven operationeel te blijven. Ik kom er niet mee klaar in
dit leven, denk ik. Ik heb er geen problemen mee, dat ik
blijf worstelen. Het is ook een feestelijk iets. Vroeger had ik
wel die grote wanhoop of ik ooit in dit leven de verlichting
zou bereiken. Die dwanggedachte heeft mij gelukkig verla-
ten. Dat is een hele verlichting.

3

Stil staan bij het uniek-universele

CORRY TIMMERMANS

Haar man zit in de speelgoed-groothandel. Zij beheert twee speelgoedwinkels. "Zeven jaar geleden zijn wij begonnen. Mijn man zag het niet meer zo zitten in het onderwijs, en ik wilde meer dan het huishouden. Wij wilden vorm geven aan onze creativiteit, op zo'n manier dat er ook brood op de plank zou komen voor onze drie kinderen."

Muziekdoosjes staan ingetogen te genieten. Mobielen hangen onbeweeglijk in een winkel na sluitingstijd. Het avondlicht van een promenade in een provinciestad wordt gedempt door het poppenhuis in de etalage. Vage schijnsels komen met steeds zachtere glans tot achter in de winkel. Onder een boog van kinderletters privé is een gordijn opzijgeschoven. In een ruimte die het midden houdt tussen een keukentje en een kantoortje, een toilet en een magazijn, staat koffie klaar. Speciaal voor deze gelegenheid is een bureaulampje meegenomen.

Ik weet niet of ik iets over stilte kan zeggen. Ik doe al jarenlang aan yoga. Elke morgen twintig minuten. Daar krijg ik veel energie van. Stilte is voor mij noodzakelijk. Ik ben veel bezig met echte stilte. Ik heb er eigenlijk nooit zo over nagedacht, maar volgens mij zijn er twee soorten stilte: één die je bewust met je verstand creëert, en één die je overkomt, in de natuur bijvoorbeeld. Inwendig kan ik mij stil maken, me terugtrekken, ook als de winkel vol is met klanten. Dat zorgt ervoor dat ik niet over mijn grenzen heenga.

Vroeger was ik er nooit zo mee bezig. Gewoon leven, nadenken, lezen. Ik denk dat de ommekeer gekomen is na de dood van mijn zusje. Zij was 37, en liet kleine kinderen achter. Ik had net een baby gekregen. Ik gaf mijn kind de borst en met mijn andere hand hield ik mijn stervende zusje vast. Voor mij was dat te veel. Ik ben echt in de war geraakt – therapie enzo – over de dingen die ik had meegekregen. Ik heb toen geleerd om dieper in mezelf te kijken.

Ik had heel sterk meegekregen dat ik aardig moest zijn voor anderen. In dat dieptepunt ben ik met mezelf aan de slag gegaan. Wonderlijk is dat, achteraf bekeken. Ik ben alleen maar vooruit gegaan. Het leven is steeds interessanter geworden.

Vanmiddag was ik even bij mijn moeder. Ik vroeg wat ze nu het liefste wilde. "Even naar het graf van mijn dochter", zei ze. Toevallig had ik een gedichtje bij me dat ik in die tijd geschreven heb. Dat heb ik bij het graf nog eens gelezen. In dat gedichtje zit voor mij die verandering: mezelf ontmoeten in stilte. Jarenlang kon ik de zin niet zien van die vroege dood. Nu kan ik – hoe vreemd dat ook klinkt – de zin ervan inzien. Die verandering zit in dat gedicht. Als ik iets geleerd heb in het leven dan is het dit: er overkomt je niets dat geen zin heeft. Soms moet je even zoeken naar die zin. Daar is stilte voor nodig. Nou ja, stilte. Het is meer 'stil staan bij'. Ik schrijf er veel over, voor mezelf. Vroeger had ik altijd tienen voor opstellen. Wat ik schrijf, heeft niet veel om het lijf. Maar voor mezelf werkt het heel goed.

> *Het katholieke geloof, zoals het mij is voorgedaan*
> *Heeft niet veel goeds gebracht in mijn bestaan*
> *De regels werden opgelegd*
> *En nooit werd mij gezegd:*
> *"Kijk in jezelf en voel wat je voelt*
> *Probeer erachter te komen wat je daarmee bedoelt."*

Ik denk er nooit zo over na, en toch ben ik er sterk mee bezig. Ik heb dat als klein meisje meegekregen van mijn vader. Om vijf uur in de ochtend maakte hij mij wakker. Dan gingen we fietsen, uren door de bossen. Op een boomstam zitten naast mijn vader, en niets zeggen. Die behoefte aan stilte is altijd gebleven. Toen mijn vader stierf had ik een heel goed gevoel. Ik ben zo blij dat hij mijn vader is geweest! Dat geluk bij het sterfbed heb ik lange tijd niet kunnen begrijpen. Nu weet ik dat hij mij het belangrijkste in mijn leven meegegeven heeft: het gevoel dat ik de moeite waard ben. Daar hoefde niets meer bij.

Er gebeurt veel in die stilte. Er ontstaat een gevoel alsof je dichter komt bij je eigen wezen, alsof puzzelstukjes op hun plaats komen. Ik krijg er veel energie van. Ik kan dan heel positief omgaan met alles wat ik tegenkom.

Heel soms voel ik in mij een goddelijke kracht
Voel ik het heelal en daarbij, nog wankel en zacht
Een evenwicht in mijn geheel
Vaak niet, maar toch ...

Ik denk dat mensen die vasthouden aan een geloof ook zoiets hebben, maar dan meer van buiten af. Die creëren iets om zich heen om dichter bij zichzelf te komen. In de kerk heb ik nooit gevonden wat ik nu wel kan vinden. Ik werd te veel afgeleid door de buitenkant. Na de mis heel moralistisch praten over andere mensen, vreselijk! En die pastoor die wekelijks bij mijn moeder op ziekenbezoek kwam. Mijn vader spaarde zijn énige cognacje in de week voor die man!

Ik denk dat ieder mens iets nodig heeft wat verder gaat dan het tastbare leven hier. Dat is van belang; dan doen de verschillen er niet toe. Waar ik wel grote onvrede mee houd, dat is: je gevoelens toeschrijven aan God. Dat zie je vaak in die tv-programma's. Lange tijd heb ik echt geprobeerd die mensen te volgen. Dat lukte ook altijd vrij goed, totdat ze voor mij te plotseling 'God' erbij haalden. Ik heb zo gehoopt dat ik zou snappen wat ze bedoelden, maar het is nooit gelukt. Je kunt toch geen dingen toeschrijven aan iets buiten jezelf? Het is toch uiteindelijk mijn verantwoordelijkheid wat ik er mee doe! Ik vind het leven juist zo boeiend, omdat het van binnen uit werkt. Als je een positieve uitstraling hebt, ontmoet je positieve dingen. Als je boos bent op een ander, zegt dat iets over je eigen woede. Je omgeving is je spiegel.

Als ik moet benoemen wat ik in de stilte gevonden heb, dan is dat iets in mij, uit het heelal. Toen ik het wilde opschrijven, kwam zomaar het woordje 'goddelijk' naar voren. Maar ik heb er geen naam voor. Ach, maakt dat veel uit hoe je 'het' benoemt? Het is voor iedereen weer anders, denk ik. Het is zo uniek. Misschien benoemt daarom iedereen 'dat' wel anders. Ik voor mij kan het niet in een hokje plaatsen. Het is iets universeels. Het is iets uniek-universeels. Ik hoor wel dat anderen er een naam aan geven, en daar houvast aan hebben. Prima. Maar ik voor mij heb er geen behoefte aan, kan en wil het ook niet.

Door stilte ben ik echt veranderd. Een voorbeeld. Na jaren kwam ik plotseling tot de ontdekking dat ik nauwelijks meer woede in mij voelde. Jarenlang ben ik woedend geweest op de dood, op mijn ouders met hun moraal, op mijn man. En achteraf zie ik dat de stilte mijn onmacht heeft uitgezuiverd die ik als woede projecteerde op mijn omgeving. Die verandering heeft zich in míj voltrokken, want mijn omgeving is gelijk gebleven. Mijn man is dezelfde, mijn ouders ook, en mijn zus heb ik er niet mee teruggekregen.

Ik kan nauwelijks zeggen wat er in zo'n stilte gebeurt. Ik concentreer mij op mijn lichaam, zorg dat het zich ontspant. Dat heb ik pas na veel en lang oefenen geleerd. Langzaam vervagen dan ook de gedachten. Het is vreselijk moeilijk om gedachten uit te bannen. Het wil mij nog wel eens helpen om een opkomende gedachte als een wolkje te zien. Ik laat zo'n wolkje dan rustig voorbijkomen en weggaan. Als een stilte dan – heel soms – een echte stilte wordt, komt er iets over me wat ik alleen maar behoef te ontvangen. Je bent dan ontdaan van je omgeving, van je lijf. Niets stoort je meer. Je bent helemaal open om te ontvangen, en daardoor ook heel kwetsbaar.

Wat ik ontvang, kan ik niet omschrijven. Ik weet alleen dat ik er energie van krijg, dat ik er blij van word, en dat ik beter naar mezelf leer kijken. Uit dat 'niets' komt 'iets' terug, iets heel krachtigs en positiefs. Ik weet het niet anders te zeggen.

Mondriaan, Compositie met blauw, 1937.
© Piet Mondriaan 1992, c/o Beeldrecht Amsterdam.

4

Echte kunst praat niet

RUDI FUCHS

Hij ontvangt geheel in stijl in de directiekamer van het Haags Gemeentemuseum. Rondom zijn bureaus slingeren veel ogenschijnlijk slordige stapels paperassen in een sfeer van energieverdichting en kunstgenieting. Als hij even weg moet voor belangrijke financiële telefoontjes, wordt een opmerkelijke prentbriefkaartcombinatie in zijn boekenkast zichtbaar: de Egyptische Nefertete (meer dan duizend jaar voor Christus) en Marilyn Monroe (bijna tweeduizend jaar na Christus).

Stilte in de kunst vind ik in de geometrische, abstracte schilderijen van Mondriaan en van Malevich. In het landschap van Mondriaan is de beweging letterlijk stilgelegd, in de vorm opgesloten. Die volstrekte stillegging, dat geeft die vorm zo'n spanning, zo'n aantrekkelijkheid.

Bij figuratieve kunst is de manier van kijken heel anders. Dan kun je je eigen verhaal in de afbeelding projecteren. Ik ben altijd geneigd om karakters te verzinnen bij de afgebeelde personen. Maar er is ook een andere kant. Neem bijvoorbeeld het schilderij van Rembrandt waarop hij zijn zoon Titus heeft afgebeeld. Titus kijkt op van achter een lessenaar, hand onder de kin; voor hem een vel papier. Lange tijd heeft dit schilderij *Titus bij het tekenen* geheten. Dat paste ook heel goed bij de anekdotische sfeer waarin Rembrandt werd geplaatst. Mijn hoogleraar, Van de Waal, heeft ons erop gewezen dat Titus niet aan het tekenen kán zijn. Titus is hier aan het schrijven. Kijk maar naar zijn ogen.

Rembrandt, Titus.

Iemand die tekent en even opkijkt van het papier, zo iemand kíjkt naar iets, heel nauwkeurig. Maar op dit schilderij staan de ogen van Titus heel anders. Het lijkt net of hij nergens naar kijkt. Het is een heel afwezige blik.

Wanneer je echt naar iets kijkt, word je er als het ware door gedomineerd. Als ik naar deze deur van mijn kamer kijk, dan dringt die deur via mijn ogen diep in mij door. Maar ik kan nu ook met een onbepaalde blik in gedachten kijken, bijvoorbeeld naar een vennetje in Oisterwijk, en me daar van alles bij voorstellen. Dat is heel wat anders. Dat onbepaalde in de blik van Titus, dat maakt dit schilderij van Rembrandt zo uitzonderlijk.

Die dromende ogen brengen mij bij de stilte. Die dromerigheid doorstraalt heel de afbeelding. Daardoor wordt het beeld erg sterk in zijn totaliteit. Alle details worden als het ware in die sfeer getrokken. Bij een schilderij van Jan Steen bijvoorbeeld is dat heel anders. Dan wordt de aandacht altijd getrokken naar dat mooie schoentje of die prachtige plooien. Maar hier gaat het om het geheel. Bij echt grote kunst valt het detail weg. Dat is de stilte. Neem een amateur-pianist die Mozart speelt. Dan gaat het noot voor noot. Maar bij een echte musicus hoor je een grote eenheid, en daardoor ook een diepe stilte. Daarom is kunst zo mooi. Echte kunst praat niet. Dan moet je wel luisteren. Dat is de overstijgende trap van het realisme. De kunst heeft altijd als doel om je uit het leven te bevrijden.

Kunst kent geen ontwikkeling en juist dat geeft die stilte. Daarom is techniek ook niet stil. Voor de eerste computers was een ruimte van vijf bij vijf nodig, en ze verbruikten de energie van een heel dorp. Nu, na nog geen drie generaties, kun je al meer met een klein zakautomaatje dat zijn voeding krijgt onder het licht van een bureaulamp. Maar in de kunst wordt steeds opnieuw hetzelfde gedaan. Het materiaal ver-schilt wel, maar ook in de dertiende eeuw waren de funda-mentele elementen dezelfde. Voor de schilderkunst is dat: op een leeg vlak een voorstelling in beeld brengen.

Het ontstaan van abstracte kunst heeft, denk ik, te maken met veranderingen in het verlangen. Vroeger had men het verlangen om het geloof uit te dragen of om de staat te bevestigen of om grootmoeder uit te beelden. Dat laatste haalt natuurlijk niet zoveel uit. Want als de nabestaanden van grootmoeder ook dood zijn, weet niemand meer dat zij het geweest is, tenzij het onder de afbeelding staat. De kunstenaar geeft een persoonlijke ervaring vorm in een motief, een inhoud. Maar in de abstracte kunst is de per-soonlijke ervaring tegelijkertijd uitgangspunt én motief. Abstracte kunst is eigenlijk de hoogste vorm van verzinnen, in relatie tot wat je ziet. Het is het tegendeel van de 'net echte' theepot, of van Carel Willink waar je de haren op de armen kunt zien. Plotseling vervalt dan het criterium dat het ergens op moet lijken. Mondriaan 'lijkt nergens op'.

Ik ben altijd diep geroerd door de afwezigheid die ook te vinden is in de aandachtsruimte van Mark Rothko in Hous-ton. Het is een zeshoekige kapel voor stilte en meditatie. Een heel eigenaardige ruimte met gedempt, indirect dag-licht van boven. Kunstlicht zou ook niet goed zijn, want dat beweegt en zoemt, en er is altijd iets mee. Er hangen grote schilderijen in tinten grijs, donkerpaars en zwart. De stilte ontstaat door de afwezigheid van felle kleuren. Het is de-zelfde afwezigheid als in de blik van Titus. Het is dezelfde afwezigheid als in het landschap van Mondriaan.

Dat wat afwezig is, is de dwingende invloed van het moment dat je iets ziet, de dwang van het nu. Een foto of een film zetten de tijd stil. Maar hier is de tijd gewoon weg. Dat geeft die vervoering. Mondriaan zei: schilder het wezen! Als hij een boom schilderde, ging hij als het ware door die bijzondere vorm van appelboom of pereboom heen. Mulisch heeft gezegd dat je hét paard niet kunt beschrijven, dat het altijd 'een' paard is. Maar dat het vanzelf hét paard wordt als je kunstenaar bent. De film blijft intrigeren. Neem die films waarin een christus-figuur voorkomt. Het blijft altijd bij een kruising tussen Rafaël en Rembrandt. De christus is altijd een christus die verzonnen en ingevuld is. Maar afwezigheid laat ruimte voor interpretatie.

Het gekke is dat je juist in die afwezigheid niets interpreteert. Die Titus blijft een jongen die even pauzeert. Maar als je zo gekeken hebt, kan er een wereld opengaan. Die afwezigheid als kader voor niet-interpretatie overvalt me soms ook even, een paar seconden, op een perron of zelfs in de auto. Toen ik nog voor het Van Abbe-museum werkte, moest ik regelmatig van Eindhoven naar Amsterdam. Plotseling was ik bij Utrecht, en ik wist dat ik langs Den Bosch was gereden. Maar dat tussenstuk? Het is de totale afwezigheid die je zelf bent in de stilte. Je bent dan zelf even buiten de tijd. Je bent dan zelf als het ware even kunstwerk geworden in die doordringende kracht van het afwezige waarin geen ontwikkeling zit.

Het is de afwezigheid van het specifieke, en de aanwezigheid van het algemene die het zo aantrekkelijk maken. Mondriaan heeft het landschap der landschappen geschilderd. In het lijnenspel zit, als je goed kijkt, dezelfde verhouding als in de zeventiende-eeuwse landschapsschilderkunst. Kijk maar naar een Van Ruisdael. Eigenlijk heeft de schilderkunst het Nederlandse landschap gemaakt, in die zin dat wij gewend zijn om er zo naar te kijken; die lage horizon, die hoge lucht met veel beweging in wolken. In Hollandse landschapsschilderijen waait het altijd, in Italiaanse nooit.

Mondriaans landschap is hét landschap omdat onze manieren van kijken zo transparant zijn vastgelegd in deze vorm. Peter Struycken ging nog een stap verder. Hij liet met de computer verhoudingen en combinaties berekenen, omdat hij anders niet los zou komen van wat er in zijn ogen gegrift stond. De computer was voor hem het middel om de herinnering uit te schakelen.

Door de spanning in dit schilderij wordt er veel gesuggereerd; je kunt er van alles bij verzinnen. Ik voel ook die neiging, maar dan zou ik vanuit de niet-tijd in de tijd terugkeren. De spanning is de afwezigheid van het landschap waarvan het de herinnering draagt, en tegelijkertijd ook de verwijzing naar alle mogelijke landschappen. De horizontale en de verticale lijn vormen een kruis in het centrum van het schilderij. Maar dat kruis zit net niet in het centrum! Het staat er iets buiten. En dat is maar goed ook, want anders zou dit schilderij zijn ambiguïteit verliezen. Als dat kruis in het centrum zou staan, werd het vlak zelf verdeeld in vier gelijke delen. Dan zou er geen verschil meer zijn tussen drager en beeld. Een stuk doek precies in vieren is niet meer dan een materiële anekdote. Maar omdat die kruisvorm net uit het centrum staat, trekt het altijd, komt het nooit helemaal tot rust. Want je kijkt naar de puur mathematische vorm én naar de afwijking. Dát is de spanning, het ondefinieerbare niet-evenwicht en niet on-evenwicht.

Die spanning doet mij bijzonder veel. Dan valt alles weg. Dan bestaat niets meer. Het is een intense verstilling. Dat is eigenlijk een beter woord dan 'stilte'. Want alles wordt stil gelegd. Dat heb ik niet bij film en toneel. Daar zijn voor mij zoveel aandachttrekkende details, dat het voor mij niet stil wordt. Ik kan soms wel verstillen, maar dat komt dan doordat mijn blik getrokken wordt door bijvoorbeeld het

Malevich, Zwart vierkant.

decor of het gezicht van een actrice, waardoor alles een speciale kleur krijgt. Dan kan ik me later van dat moment niets meer herinneren van de tekst of de andere spelers.

Stilte kun je niet plannen. Al die stiltecentra hebben voor mij iets heel koddigs. Je kunt niet zeggen: Nu ga ik eens in vervoering raken. Nu zal ik zorgen dat ik even buiten de tijd word geplaatst. Als het gebeurt, dan is het héél mooi. Als het niet gebeurt, dan heb je gewoon een Mondriaan gezien.

Ik wil nog graag één schilderij noemen: het zwarte vierkant van Malevich. Als je goed kijkt, zie je dat het eigenlijk geen vierkant is. Het is een ietsje hoger dan het breed is, en het is zelfs niet rechthoekig. Wil je het optisch op een vierkant laten lijken, dan moet je het iets andere verhoudingen geven. Net zoals Mondriaan alle denkbare landschappen schilderde, schilderde Malevich hier alle denkbare afbeeldingen. In engere zin is dit zwarte vierkant een ikoon. Het zwart heeft een gele ondergrond. Dat is het ikonen-goud. Een ikoon lijkt een plankje met een heilige afbeelding. Maar het is een 'iets' waarin het afgebeelde ook aanwezig wordt geacht. Omdat het een heilige afbeelding is, hoeft het niet realistisch te zijn. De ikonen zijn door de eeuwen heen nagenoeg gelijk gebleven in een statisch, onbeweeglijk oppervlak. In dit zwarte vierkant komen voor mij alle ikonen samen. Dat is voor mij de echte stilte.

5

Het noodzakelijke contrast

MARIA VAN DEN MUIJSENBERGH

Ze is 66 jaar, grootmoeder en 38 jaar getrouwd. Meer dan vijf dagen in de week is ze bezig met haar werk en haar hobby: vergaderen en besturen. Bij het maken van een afspraak voor dit gesprek zegt zij dat ze een slag om de arm moet houden: geopereerd aan haar borst, verdere behandeling noodzakelijk, vijfmaal per week ziekenhuis, bestraling.

Stilte betekent voor mij dat ik niet hoef te rennen en dat ik weinig geluid hoor. Daar heb ik veel behoefte aan, want ik ben altijd intensief bezig. Mijn man en ik gaan al jarenlang naar Zuid-Frankrijk, steeds hetzelfde plekje. Het volgende dorpje ligt twintig kilometer verder. Als we op ons vakantie-adres aankomen, en de portieren van de auto opendoen, zeggen we tegen elkaar: "Sst, hoor, de stilte."

Het gaat eigenlijk om twee momenten. Eerst bemerk je de afwezigheid van storende geluiden. Daarna hoor je het zachte leven in de natuur. Ik heb een keer een hele dag met de caravan aan een meertje gestaan. Oh, dat ruisen van de wind door de bladeren, de rimpeling over het water. En dan het zachte klotsen tegen de waterkant, en de lichte streling van het gras. Dat maakte me zo onbeschrijfelijk gelukkig. Ik hoop dat mijn man en ik nog vaak op zo'n plek mogen terugkomen.

Toch zou ik nooit verhuizen naar zo'n plek. We hebben ook wel gezegd dat er een tijd komt dat het niet meer kan. En

bij mij gebeuren er misschien nog andere dingen. Maar er definitief heen? Nee. Op het moment dat we kunnen gaan en staan waar we willen, weet ik niet of we dat wel zouden willen. Ik ben niet alleen een stilte-minnares. Zonder mensen om mij heen zou ik tegen het plafond schieten. Voor mij is het de afwisseling, het contrast. Mijn leven is zo rijk aan contacten. Vooral als je ziek bent, ervaar je hoeveel fijne mensen er zijn. Maar als de momenten van stilte mij niet gegeven werden, dan zou ik in het actieve leven al spoedig het spoor bijster raken.

Ik weet eigenlijk niet of stilte voor mij buiten het normale leven valt. Daar heb ik nooit zo over nagedacht. Er zijn ook momenten van innerlijke stilte. Ik loop heel graag even een museum binnen of een kerk. En 's avonds in bed naar de stilte van de nacht luisteren, dat vind ik ook heerlijk. Midden in de drukte heb ik soms die innerlijke stilte. Bijvoorbeeld in de trein. Ik moet altijd wel paperassen doornemen voor een vergadering, en anders heb ik wel een boek. Soms wordt je blik dan naar buiten getrokken. Prachtig, zo'n rivierenlandschap als je uit het zuiden naar Amsterdam reist. Al die sloten die als molenwieken achter je weg draaien. De cadans van het treinstel op de bielzen. Je hebt dan even geen deel aan het leven. Ik bedoel: je behoeft dan nergens op te reageren. Je gedachten hebben als het ware aan zichzelf genoeg. Dan ineens: dat is Amsterdam al! En ik heb nog steeds dezelfde pagina voor me! Dat is dan niet jammer, maar juist heerlijk.

Ik weet niet goed wat er in zo'n stilte gebeurt. Ik ben me dan niet bewust waaraan ik denk. Als iemand me zou aanstoten en vragen waar ik aan dacht, zou ik het niet weten, geloof ik. Ik ervaar het als iets plezierigs, omdat ik er rustig van word. Ja, ik herinner me nu ook dat ik wel eens – zonder het te weten – een probleem heb opgelost. Ik zat in een bestuur, en we moesten iemand ontslaan. Er was enorm veel over gepraat en we hadden van alles geprobeerd. Maar die persoon zelf kon het niet accepteren. Ik zat daar erg mee en ik had me van alles voorgenomen. En toen, na zo'n stilte, schoot het plotseling door me heen: als ik nou eens dit en dit zeg. Op het moment dat je ergens niet meer aan denkt, worden de dingen vaak helderder. Deze stiltes 'heb' je niet, ze overkomen je. En als ze mij niet regelmatig overkomen, zou ik een opgewonden standje worden.

Toch heb ik sterke behoefte aan nabijheid van mensen. Je hoort wel eens van eenzame opsluiting. Daar zou ik niet sterk genoeg voor zijn. Ik zou binnen de kortste keren gek worden. Mijn broer is Karthuizer geworden, maar ik heb nooit kloosterlijke neigingen gehad. Ik denk dat ik van de stilte houd als contrast met mijn dagelijks leven.

Dit speelt ook door in de manier waarop ik bestuur. In sommige clubs waar ik in meedraai, stel ik bij vergaderingen voor om te beginnen met even wat stilte. Nee, geen gebed; we zijn nu geseculariseerd. En die gebeden van vroeger gaven helaas weinig stilte. Iedereen rommelde dan met een tas. Nu lees ik vaak een gedicht voor aan het begin en aan het eind. Sommigen zijn daar ook tegen; die willen gewoon snel klaar zijn. Maar ik vind dat een vergadering wel iets sereens moet hebben. Wat ook aardig is, dat is een vergadering onderbreken. Ik zit in een raad die van vijf tot half tien bijeenkomt. We pauzeren dan een uur. We eten een broodje en daarna houden we een korte meditatie. Iemand leest iets voor of we luisteren naar muziek. Zo'n vorm van bezinning is een verademing in het geroezemoes.

De behoefte aan stilte heb ik eigenlijk altijd wel gehad. En als je ouder wordt, nemen de kansen op stilte toe. Kijk, dit is een foto van mijn vader. Die was altijd bijzonder actief, vol verhalen, vol geluk. Hij was tachtig, en kwam terug van een lange reis naar Griekenland. "Nu ga ik niet meer zover", zei hij op een dag. "Laat mij hier zo maar zitten. En nu ik stiller word en weinig meer zeg, moet je niet denken dat ik niet gelukkig ben. Laat mij hier maar." Hij werd niet kinds, hij werd niet dement. Nee, hij schoof langzaam in stilte naar de zijlijn van het leven. En ik vroeg hem: "Pappa, hoe is het nou? Verlang je ernaar om dood te gaan?" En hij zei: "Nee." "Pappa, ben je bang om dood te gaan?" En hij zei: "Nee, nee. Het is goed zo. Ik ben tevreden." Die stilte, die stilte neemt toe.

Mijn ziek zijn beïnvloedt de stilte. Ik heb nu alle tijd om na te denken. Maar ik loop niet te ijsberen door het huis. De ziekte domineert niet. Het is misschien gek, maar ik word pas echt onrustig als ik zorgen of verdriet heb over iemand van wie ik veel houd. Dan heb ik echt stilte nodig. Ik wind me meer op over iets bij anderen dan over mezelf. Zelf heb ik mijn kinderen in alle rust gekregen, maar toen een van mijn dochters zou gaan bevallen, had ik rust noch duur.

Toch denk ik in deze situatie niet extra veel na over het leven. Wat ik wel doe – en dat doe ik heel dikwijls – dat is bij mezelf nagaan of ik nog wel met de juiste dingen bezig ben, of de prioriteiten in acht worden genomen. Zoiets bespreek ik met mijn man of met de kinderen. Zelf heb ik een zeer bevoorrecht leven gehad. Ik durf dat eigenlijk nauwelijks zeggen omdat ik zoveel verdriet om me heen zie. Als kind had ik tbc. Van mijn twaalfde tot mijn zestiende verbleef ik in het sanatorium. Ik was zeer opstandig, en ik vond de nonnen vreselijk. Maar toch heb ik een gelukkige jeugd gehad. Bij ons thuis was het heel harmonieus, en mijn ouders hielden van elkaar. Ook mijn studententijd was heel gelukkig, en ik ben nu 38 jaar getrouwd. Dat kunnen niet veel mensen zeggen! Aan dat geluk heb ik, denk ik, een groot plichtsgevoel ontleend. Als je zoveel gekregen hebt, moet je ook iets terug doen. Hoe gebrekkig het ook is, misschien draagt het iets bij. Ik ging het huishouden in, nooit een echt vak geleerd. Maar wat ik wel kon, dat was vergaderen, praten en besturen. Van het een kwam het ander. Nu zit ik in allerlei raden en besturen. Maar zo echt nadenken over mijn leven doe ik niet. Misschien ben ik daar veel te weinig mee bezig. Ik ben een doener. Daarom heb ik ook nog geen balans opgemaakt.

Zojuist las ik een recensie van de verhalenbundel *Het Tuinhuis* van Hürlimann. Een verhaal gaat over de doodsstrijd van een vrouw van wie het hele leven onvervuld verlangen is geweest. En dan staat er:

> *Wie in een sterfhuis aan een sterfbed zit, wie in zijn hersens naar woorden zoekt om niet gek te worden en als een idioot te grijnzen, die ervaart, of hij nu de onderwijzer uit Eutel is aan het bed van zijn vrouw of ik aan het bed van mijn broer (waar ik over wilde schrijven en niet schrijven kan), dat een stervende je vreemd wordt omdat hij stilte verbreidt – een plechtige stilte.*

Dat beeld zou ik nou nooit gebruiken! Natuurlijk, een gestorvene is anders. Maar voor mij zit dat niet in de stilte maar in de roerloosheid. Als ik verder nadenk, begrijp ik er wel iets van. Er is ook doodse stilte. Maar dat vind ik even negatief als benauwende stilte. Ik vraag mij af of wij wel echt over stilte kunnen spreken zolang wij kunnen horen.

Ik ga liever terug naar de stilte in het gewone leven. Ik herinner me bijvoorbeeld onze huwelijksreis naar Parijs. Dat heerlijke buitenleven 's avonds. Al die mensen op straat: roepen, ruziën, handeldrijven. We gingen altijd naar de avondmis. Die stilte was dan zo weldadig. Dat kan ik gewoon niet uitleggen. Na het geweldige straatlawaai die plotselinge stilte waarin je het suizen van de Godslamp hoort. Toch was dit voor mij geen vlucht voor rumoer want ik voel me heel goed thuis in al die drukte. De stilte is voor mij geen vluchtheuvel, maar een enclave.

Ook is de stilte voor mij een soort accu-oplader. Het is zo'n contrast met het drukke leven. Daarom spreekt de stilte mij aan. Ik kan in het drukke leven én in de stilte gelukkig zijn. Of nee, dat is toch niet helemaal waar. Er zijn van die plaatsen waar ik echt depressief word. Hoog Catherijne, zo'n overdekte kunstwereld, waar de 'muzak' van alle kanten op je afkomt. Nergens een streepje lucht! Als ik er doorheen moet naar een vergadering, dan heb ik zo'n sterke behoefte om daar even in het stiltecentrum te gaan zitten. Dan is de stilte wel een vluchtheuvel.

Als ik in zo'n stiltecentrum ben, valt er iets van me af. Ik bid dan ook wel, hoewel ik het moeilijk vind om dat onder woorden te brengen. Ze vragen me wel eens of ik in een persoonlijke God geloof, maar ik kan me daar niets bij voorstellen. Het bidden gaat woordeloos, maar ik heb wel een adres. Het zijn denk ik primitieve gedachten. Het is zoiets van: "Ja lieve Heer, daar zitten we nou. U moest maar eens wat medelijden met ons hebben. In deze winkelpaleizen zijn wij elkaar aan het gek maken." Dat durf ik wel bidden te noemen. Maar het is niet zo uitgesproken. En ook: "Onze lieve Heer, het gaat nog goed, maar ik weet niet of het zo blijft. En anders moet u echt wat van u laten horen." – Ach, denk ik nu, misschien doet Hij dat al. Ik bedoel: iets van zich laten horen. Misschien was alles anders wel veel erger geweest.

Nu plotseling schiet mij ook een dichtregel van de middelbare school te binnen. Ik heb een passie voor gedichten.

Heerlijk, veel wit en weinig tekst. De kunst van het wegla-
ten. Dat is ook stilte. Maar ik heb nooit een gedicht kunnen
onthouden. Het begint zo: "Min de stilte in uw wezen." En
even verder: "... zij die de stilte vrezen." Heel zweverig klinkt
dat eigenlijk. Nu zou ik zeggen: koester het stille wat je in
je hebt. Op die manier onderschrijf ik nu zo'n vers uit mijn
jeugd. En ken je dat gedicht over het 'wiegen in de scheme-
ring'. Was dat niet Kloos? Dat ging over een zomeravond.
Die woorden 'nauw hoorbaar' die vond ik zo mooi, zo mooi.
En dan dat 'snelle gerucht' van een vogel. Zoek het maar
eens op.

> *Nauw zichtbaar wiegen, op een lichten zucht,*
> *De witte bloesems in de scheemring – ziet,*
> *Hoe langs mijn venster nog, met ras gerucht,*
> *Een enkele, al te late vogel vliedt.*
>
> *En ver, daar ginds, die zacht-gekleurde lucht*
> *Als perlemoer, waar ied're tint vervliet*
> *In teêrheid... Rust – o, wonder-vreemd genucht!*
> *Want alles is bij dag zóó innig niet.*
>
> *Alle geluid, dat nog van verre sprak:*
> *Verstierf – de wind, de wolken, alles gaat*
> *Al zacht en zachter – alles wordt zoo stil ...*
>
> *En ik weet niet, hoe thans dit hart, zoo zwak,*
> *Dat al zóó moê is, altijd luider slaat,*
> *Altijd maar luider, en niet rusten wil.*

Willem Kloos[1]

---

[1] uit: *De Nieuwe Gids.* 1885, II, p.292.

6

Het besef van kringloop

HENCK VAN DIJCK

Als kind wilde hij graag boswachter worden om aan de water-kant te kunnen dagdromen. Dromen over water doet hij nog steeds maar nu als beeldhouwer in 'denkbeelden'. Zijn werk lijkt zich te bewegen in cirkels en spiralen. Het mysterie 'grondwater', nu ondergebracht in een stichting, geniet zijn voorkeur.

In onze cultuur is nauwelijks ruimte voor de stilte. Als mensen om stilte moeten vragen, is het eigenlijk al te laat. Het leven leidt niet naar stilte, maar ik heb wel technieken geleerd die mij stilte kunnen verschaffen. Mijn vriendin en ik mediteren regelmatig en ook raadpleeg ik soms de *I Tjing*, het boek der veranderingen. Als kunstenaar houd ik mij bezig met de vraag waardoor de stilte is verdwenen. In mijn beelden tracht ik hierop een antwoord te geven.

Kijk eens goed naar een plasje water. In de winter komt daar een laagje ijs op, perfect isolerend. Onder dit laagje circu-leert het water, komt naar boven, neemt wat zuurstof mee uit het ijs en zakt weer naar beneden. Door deze kringloop blijven de voorwaarden voor leven onder het ijs gehand-haafd. Ondanks ogenschijnlijke stilstand gaat de kringloop gewoon door. Stilte ontstaat als je dit gebeuren in een plas water gaat begrijpen. Stilte begint met het besef van deze kringloop.

Al mijn werk is gebaseerd op de kringloop en mijn leidraad is vaak het water. Overal is water, in vaste, vloeibare en etherische vorm. Overal is water aanwezig; het is de lijm der dingen. Dit ervaar ik als absolute waarheid. Daar word ik stil van. Ik zie het als de taak van de kunstenaar om op zoek te gaan naar de kiem van absolute waarheid die in de dingen schuilt.

Ik heb veel gewerkt met alledaagse materialen om aan het besef van kringloop gestalte te geven; kranen, tuinslang en koperen leiding. Die hebben voor mij bij uitstek een spiritueel gehalte, omdat er iets doorheen kan stromen. Ze zijn als beeld middel én doel. Dat blijft fascineren. Deze beelden zetten in mijn ogen het denkproces in werking.

Als kunstenaar voel ik me soms net een geneesheer die zich tijdens een pestepidemie moet bezighouden met de randvoorwaarden voor een goede gezondheidszorg, terwijl ook hijzelf moet oppassen niet het loodje te leggen! We worden dagelijks overladen met beelden waarin we onze weg moeten zien te vinden, als we niet willen verdwalen. Ik zie het als deel van mijn beroep in deze constante beeldenstroom essenties te ontdekken en in mijn werk te integreren, zonder zelf geïnfecteerd te raken door allerlei schijnbeelden. Een wereld van schijnbeelden en schijnwaarden raakt automatisch in een vicieuze cirkel. Wat echt is, wordt niet meer gehoord; wij horen dan alleen een hinderlijke toon die blijft rondzingen.

Er zijn hele terreinen braak komen te liggen, doordat er een te grote afstand is ontstaan tussen 'besef' en 'beeld'. Je zou ook kunnen zeggen: tussen 'inzicht' en 'houding'. We weten dat onze aarde naar de knoppen gaat als we blijven handelen zoals we gedaan hebben en nog altijd doen. Dit verschil tussen beeld en besef maakt ons rusteloos.

Henk van Dijck, Kraan zonder titel, 1986.

Misschien moet ik het duidelijker uitleggen. Een beeld is bijvoorbeeld een persoon, een boom, een situatie of wat dan ook. Ik neem dat beeld waar en noem dat 'besef'. Door te blijven kijken, ontdek ik bijzonderheden aan wat ik zie. Hierdoor groeit het besef en verandert mijn waarneming: het beeld. Zowel beeld als besef zijn aan verandering onderhevig. Naast het beeld en het besef is er dus nog een derde grootheid in het spel: de verandering.

Stilte is voor mij het moment waarop beeld, besef en verandering in elkaar overgaan. Dit brengt me in contact met de werkelijkheid, het gevoel met de dingen verbonden te zijn. Dit noem ik goddelijk, de vonk. Dit alles gaat voorbij de dingen.

Het verschil tussen beeld en besef is soms zo groot dat er geen vonk meer kan overspringen. Ik denk dat het de taak van de kunstenaar is om beeld en besef dichter bij elkaar te brengen. Daarom maak ik beelden waarvan ik hoop dat die een proces op gang brengen. Voor mij is dat ook de essentie van kunst. Ik ben erop gekomen door de oude grotschilderingen van bizons. In die grotten werden dieren afgebeeld die direct te maken hadden met de leefwereld van de jager. Onderzoek heeft aangetoond dat in die schilderingen allemaal kleine putjes zitten. Kennelijk is er in lange wintertijden met speren tegenaan geworpen. Het beeld van het dier buiten de grot en het besef ervan in het hoofd van de jager kwamen samen in die schildering. Het verschil tussen beeld en besef werd door de schildering opgeheven en ervaarbaar als werkelijkheid. De jager fungeerde alleen als medium. Ik kan geen beter voor'beeld' bedenken van de eenheid van beeld en besef.

Je kunt je natuurlijk afvragen waarom het beeld en het besef dichter bij elkaar moeten komen. Het antwoord is te vinden

Henk van Dijck, Biotoop, 1991.

in dat wat er misgaat in onze cultuur. Voor de mens is het bijkomstige belangrijker geworden dan het essentiële; de kunstmatige werkelijkheid is gaan zegevieren over de natuurlijke. Er is geen respect meer voor de natuur. Wij zijn de natuur aan het belemmeren in haar kringloop die al eeuwen en eeuwen aan de gang is. Als er een vissoort uitsterft, zijn sommigen zo arrogant om te zeggen dat het evolutie is! Het water wordt sterk vervuild. De aarde heeft in beginsel steeds dezelfde hoeveelheid water, maar wij voegen er allerlei dingen aan toe, waardoor de natuurlijke orde in ijltempo wordt verstoord.

De aarde is onze moeder. Als je in de aarde wroet, haal je dus het gezicht van je moeder open. Wij westerlingen doen dit af als indianenwijsheid. Maar als we iets uit de aarde nemen, moeten we er ook iets voor in de plaats geven. Wat zouden we kunnen geven? We zijn door onze kennis in staat om iedereen welvaart te geven, maar dat kan alleen door onze kennis toe te passen. Zo kom ik terug op de relatie tussen beeld en besef. Want iemand die niet handelt naar het besef dat hij heeft, handelt in strijd met de natuurlijke orde van de dingen.

Dit lijkt misschien moeilijk. Maar een beeld kan veel verduidelijken. Kijk dat beeld, twee bloempotten. Daarin is stilte ontstaan. Het geheel is verzilverd, want verzilveren heeft te maken met economie, met omzetten in waarde. Ik had het ook kunnen vergulden, maar dat zou te vergeestelijkt zijn. De planten waarnaar de bloempotten verwijzen, behoren tot de natuur. De bloempotten zelf zijn onderdeel van de cultuur. De ene pot is de bron en de andere met het afvoertje is het riool. Actief en passief, maar de stop van de passieve factor is bevestigd aan de bron. Ik heb wel even moeten zoeken naar de juiste kraan; de vorm moest koestering en verzorging uitbeelden. Dit beeld laat het proces zien van rondgaan, alsmaar rondgaan. Het is de methode van zuivering. Het is de kringloop. Als dit een waarheid is, kan het werken als een symbool en krijgt het een heel groot werkelijkheidsgehalte. Het besef van die waarheid werkt verstillend. Zo kan er stilte komen in de chaos van de wereld. De stilte ontstaat wanneer beeld en het besef elkaar ontmoeten en de waarnemer bereid is in dit proces mee te veranderen. Hieraan kan kunst bijdragen.

We hebben het tot nu toe gehad over de, laten we maar zeggen, gewone stilte. Maar er is nog een andere stilte. Dat is een stilte die ontstaat wanneer én beeld én besef én wat ik maar verandering noem, als drie cirkels elkaar helemaal bedekken. Deze sporadisch voorkomende stilte – als ik die nog eens zou kunnen oproepen – dat lijkt me de absolute stilte!

7

Muren

N.N.

Een psychiatrische omgeving ergens in het noorden van het land. Begeleiding door drie gesloten deuren. Dan een kamer en een andere medewerker, die steeds aanwezig blijft.
Hij komt binnen en valt met de deur in huis: "Omdat u komt praten over stilte heb ik iets geschreven. Een gedicht, er moet nog muziek bij. Ja, dat hebben ze me gevraagd voor Amnesty International. Maar het is voor u. U mag het niet publiceren."
Nu zit hij op een half open afdeling. Hij is bezig met Spaans en geschiedenis, en denkt erover om rechten te gaan studeren. Hij schrijft veel in het Engels. Hij heeft tot zijn zestiende in Detroit gewoond, en woont nu zeven jaar in Nederland.

Ik herinner mij van vroeger hoe vreselijk ik een stilte in een gesprek vond. Mijn zus en ik hadden een bezoekregeling met mijn vader: zondagmiddag naar de film en dan bij hem thuis. Volgens mij had hij er meer aan dan wij. Ik wilde niet meer komen. Het was zo saai, zo stil. Hij zei dat het zo was afgesproken met de rechter. Daarna ben ik met mijn moeder en mijn stiefvader naar Nederland gekomen.

De wanen, de hallucinaties! De mensen zagen er dan zo vreemd uit. Als ik dat onder woorden zou kunnen brengen! Maar ik kan het niet. Ik dacht dat ik in de hel zat en overal om me heen waren duivels. Ken je die film 'Amsterdamned'? Ik liep door de stad, en ik dacht dat ik Adolf Hitler was. Er kwam een Engelsman op mij af, hij gaf mij een kaart met een Duitse straatnaam, die Wesperstraße, en vroeg waar dat

was. Niemand wist hoe erg dat was! En als die hallucinaties er niet waren, was er de verschrikkelijke stilte. Dan kwamen de angsten voor de martelingen!

Het ergste was de stilte in de middag hier op de gesloten afdeling, na het warme eten. De zon loodrecht naar beneden. Ik was niet sterk genoeg om zelf initiatief te nemen. Ik was overgeleverd aan mezelf, niet in staat om mij te vermaken. En ik was overgeleverd aan hen die bepaalden wat ik elke dag moest doen. Het leukste was nog de sport, hoewel ik er niet van hield.

Nu is het de stilte van de afgeslotenheid, het binnenplein. Toen ik er voor het eerst kwam, voelde ik me bevrijd. Maar toen zag ik de muren! Er is geen kleur. Er is geen beweging. Er is geen geur waardoor ik kan denken aan mijn jeugd. Er is geen beweging van lopen in een stad die je bekend is. Er is geen geluid waardoor je denkt aan muziek die je fijn vindt. Allemaal zo saai, zo droog. Er is helemaal niets moois!

Als je hele nare gedachten hebt, en je hebt er geen vat op, en je haat stilte, dan gaan die gedachten een eigen leven leiden: Waarom leven mensen eigenlijk? Ze zijn allemaal gek! Dan loop ik op het binnenplein heen en weer, net of ik half dood ben. Stilte is het symbool voor de moeilijke kant van het leven. Ik krijg elke dag medicijnen. Soms is het gewoon niet vol te houden. Het lukt weer een beetje als er een dimensie in het leven is, als er dynamiek is. Dan kun je er iets van maken. Als je probeert je tijd beter in te vullen, heb je op den duur betere associaties bij de stilte.

Vroeger had ik vrijheid, maar toen maakten gedachten mij gek, letterlijk en figuurlijk. Nu haat ik de stilte minder. Hier heb ik de mogelijkheid gehad om afstand te nemen van anderen, en een soort evaluatie te maken en met geduld langzaam opnieuw te beginnen. De meeste vooruitgang heb ik gemaakt hier op de half open afdeling. Soms is de stilte nu geen bedreiging meer, maar ook het begin van een uitdaging. Als u het goed vindt, moet u het gedicht toch maar opnemen. Ik ben er best trots op.

Silence

We've all had experience with silence
We know it feels empty when it fills your thoughts

There's a message in the four walls around you
When you're treated this way
You yourself begin to question your rights

They manipulate the truth and back it up with silence
There's no structure to this empty existence
Colors and sounds are the freedom to move
Let's hope you can dream to escape the gloom

Colors and sounds
The freedom to move

When it feels as though there's no beauty
To fill the silence
*Maybe there **is** no beauty to fill the silence*

We hope you can close your eyes and feel something new
We hope you can dream and escape the gloom

N.N.

8

In verhoogde staat van passiviteit

FRANS MAAS

Hij is universitair docent theologie en geldt als kenner van mystici. Hij heeft onder meer een bundel met preken van Meister Eckhart uitgebracht onder de titel Van God houden als van niemand.

Stilte is in de mode. Bezig zijn met stilte kan een maniertje worden, een cultuurtje. Dan is het voer voor Koot en Bie. Er zijn veel misvattingen over stilte, bijvoorbeeld dat stilte afwezigheid is van geluid. Dat kan een bijkomend verschijnsel zijn, maar zo raak je de kern niet.

Stilte is het oponthoud in het netwerk van betekenissen, in het opnemen of het produceren van inhouden. Daarmee bedoel ik het volgende. Als je een tafel maakt of een tekst schrijft, ben je doelgericht bezig. Gedachten schakelen zich aaneen: overwegingen, redeneringen enz. Dat gebeurt ook als je leest of tv kijkt. Zo'n gedachte – waarover dan ook – is een betekenis. De ene gedachte brengt de andere voort. De aaneenschakeling daarvan, dat is het netwerk. Je wordt altijd de gevangene van het netwerk in je hoofd. Stilte is: uit dat netwerk zijn.

Neem de activiteit van het schrijven. Als je daar mee bezigbent, bevind je je op een klein domein van de werkelijkheid, het onderwerp van de tekst, en op een deel van een vel papier of een beeldscherm. Soms krijg je dan nog een inval die je goed vindt, maar die je niet kunt verwerken. Die noteer je snel even op een kladje. Daar begint stilte. Even oog krijgen voor wat anders geen bestaan heeft.

Stilte is je blootstellen aan wat je omgeeft. Bijna had ik gezegd blootstellen aan 'het omvattende', maar dan suggereer ik dat er zoiets omvattends is, en daar gaat het niet om.

> *Ik zit achter mijn bureau, vol inspanning en enthousiasme. Toevallig wordt mijn oog geraakt door een baan zonlicht die door een vies raam naar binnen valt. In mijn netwerk bestaat de zon niet op dat moment. Stilte is de zon laten bestaan en je erdoor laten voeden.*

De stilte ontspant. In de kleine cirkel van het drukke bestaan heerst altijd een bepaald soort spanning. De spanning dat datgene waarmee je bezigbent, iets moet worden. In mijn geval wil ik in een college een coherente gedachtengang ontvouwen waarmee ik kan scoren. Of ik wil met het klaarmaken van het eten een smakelijk geheel presenteren. Activiteiten zijn per definitie doelgericht. Dat maakt dat de ene gedachte de andere voortbrengt. Er is dan zelden of nooit de gelegenheid om de gedachten te laten zijn wat ze zijn. Aan het einde van de werkdag heb ik me vaak 'dichtgedacht'. Ik ga dan graag wat hardlopen of joggen. Als dan de wind langs mijn hoofd strijkt, voel ik mij leegwaaien. Er komt dan speelruimte tussen alle muizenissen. Door iets anders te doen, leg ik de radertjes stil. Ik krijg dan soms heel goede invallen voor het schrijfwerk.

Een woord dat voor mij heel goed bij stilte past, is 'gelatenheid'; niet in de moderne betekenis van 'berusting' en 'resignatie', maar in de betekenis die de middeleeuwse mysticus Eckhart bedoelde. Dat ik hier Eckhart aanhaal, heeft een reden. Ik heb ooit eens de volgende zin van hem gelezen:

Als mijn ziel morgen niet jonger is dan vandaag, zou ik mij schamen.

Deze zin trof mij zo, dat ik Eckhart intensief ben gaan studeren. Hij bedoelt met gelatenheid dat je het andere even laat voor wat het is. Dat je er met je fikken afblijft, dat je het niet in je denkkader plaatst. Het andere niet consumeren, verteren; het andere onafhankelijk van mij laten bestaan, zoals die baan zonlicht. Heidegger heeft deze term later opgenomen, en in zijn lijn ook Peter Sloterdijk. Die oude spirituele term is mij dierbaar geworden omdat het iets suggereert van eindigheid, van contingentie, van bescheidenheid, van deemoed. Het besef er te mogen zijn, dat alles gewoon gegeven is. Het besef dat je jezelf en je omgeving láát zijn. Gelatenheid ziet het eindige niet als doodlopend spoor maar juist als een kans.

Voor die gelatenheid moet heel veel gebeuren. Er is, in een oude betekenis van het woord, veel 'waakzaamheid' vereist. Niet in de zin van waken ergens voor. Ook niet in de zin van erop letten dat je tijdig iets mogelijk bedreigends identificeert. Nee, in die oude, meer spirituele betekenis van waakzaamheid gaat het erom dat datgene waarnaar je uitkijkt, niet iets is wat zich voor identificatie leent. Het is het betrappen van wat in de lucht zit, het aanraken van wat zich in een vlaag voordoet. Het is het uitzetten van antennes, zonder precies te weten wat je zoekt. En dat wat je zoekt, komt altijd op je af als iets wat buitengesloten was of niet in het netwerk paste. Als ik dat buitengeslotene láát zijn in onafhankelijkheid, dan kan het mij voeden en ontspannen.

Die waakzaamheid lijkt nog het meest op een heel alerte vorm van niet-actief bevatten of begrijpen. Het is eigenlijk een verhoogde vorm van passiviteit. Dat is voor mij de ingang tot stilte.

Eckhart heeft prachtige dingen gezegd! Er zijn mensen die denken dat ze losgekomen zijn van hun programma's door bijvoorbeeld elke dag ontspanning te vinden in hardlopen of door elke week naar de kerk te gaan of door op gezette tijden yoga-oefeningen te doen. Maar, zegt Eckhart, juist daardoor kom je weer heel gemakkelijk vast te zitten in je eigen systeem. Die mensen komen niet werkelijk tot zichzelf. Er zijn, zegt hij, ook mensen die denken dat ze behoorlijk volmaakt zijn, maar die geen enkel woord onweersproken kunnen laten. Die mensen moeten alles in eigen kader converteren, dat wil zeggen opnemen of weerleggen.

Deze twee typen mensen tonen wel zeer actieve betrokkenheid, maar ze blijven baasje in eigen wereld. Dat is pas echte armoe. Eckhart legt – heel moeilijk maar bijzonder verrassend – een verband met de waarom-vraag.

> *Pas die mens is wijs (geslaagd, deugdelijk, volwassen) die kan leven 'zonder waarom'.*

Elk mens heeft diep in zich de neiging tot betekenisgeving, tot constructie van zingeving als antwoord op de waaromvraag. Die antwoorden kunnen geheel verschillende gedaanten aannemen: idealen, rijkdom, publikaties enz. Je blijft dan steeds bezig met je project, je doelstelling. Je kunt je zo nooit ontspannen in wat je doet. Een project betekent letterlijk 'dat wat vooruitgeworpen is'. Mensen besteden soms hun leven aan het inhalen van die projecten, aan het bereiken van hun doelstellingen. Maar echt vrij is iemand die zulke doelstellingen niet meer nodig heeft om iemand te zijn. Zo iemand kan ook pas echt goed werken. Hij heeft zijn handen vrij. Hij hoeft niet meer met zijn werk zijn eigen zinvolheid te bewerken. Zo iemand leeft 'zonder waarom'.

Leven zonder waarom heeft niets te maken met onverschilligheid, of het leven hoog op een berg. Integendeel. Het is de perfecte berusting om het werk goed te kunnen doen. Zolang het eigen project overheerst, zal een mens toch stiekem proberen zichzelf waar te maken. Zolang ik nog met mezelf bezig ben, hoe minimaal ook, ben ik niet echt open voor mijn werk, en kan het werk nooit tot zijn recht komen. Het gaat om een stijl van leven waarin de vreugde in het werk zit en niet in het omzien naar wat bereikt is.

Bij die gelatenheid, die waakzaamheid en het leven zonder waarom past geen mooiere Godsnaam dan het Opene. De God die andere mogelijkheden opent. De mysticus Nicolaas van Cusa noemt God 'Possest', dat wil zeggen: 'Hij is Kunnen'. Ik trek de lijn naar de mystiek, omdat de mystiek juist de spanning in stand houdt tussen het netwerk waarin wij leven en het totaal andere. Want we kunnen wel negatief doen over de netwerken, maar ze blijven zeer noodzakelijk, al was het maar als middel tot communicatie. Ik kom immers niet verder met schrijven wanneer ik op elke inval doorga. Zonder systemen kom je nergens.

De mystiek leert ons dat momenten van verrukking, verrassing en verwondering niet binnen de continuïteit van het systeem plaatsvinden. Daar is iets voor nodig wat buiten alle denkbare systemen valt. Het eigenaardige is nu juist dat je dat besef pas krijgt, wanneer je probeert in het systeem te blijven.

Als we uit alle macht proberen te begrijpen wat we ons bij God kunnen voorstellen, dan kan het ons gebeuren dat we God gaan ervaren als het Onbegrijpelijke. Als we echt proberen om over God te spreken, dan komen we op de naam Onuitsprekelijke. Ik lijk nu ver afgedwaald van stilte, maar dat is slechts schijn. Want de stilte plaats ik juist op de grens tussen het systeem en het totaal andere. In stilte worden wij gevoelig voor het Opene.

In taal valt hier niet over te spreken. De Franse filosoof Derrida schreef een artikel met een verzuchting als titel: *Hoe te voorkomen dat wij iets zeggen!* Dit lijkt natuurlijk abracadabra. Maar wat hij bedoelde is dit. De taal wringt zich altijd tussen mij en de werkelijkheid. Met onze taal leggen wij een netwerk op wat er is. Bepaalde dingen komen wel ter sprake, en andere raken op de achtergrond. Hoe kunnen we nu zo spreken dat we dit uitsluitingsmechanisme omzeilen? In taal gaat dat niet. Zodra je verwoordt, laat je zaken weg, of geef je reliëf aan de werkelijkheid.

Die alerte passiviteit waar ik het in het begin over had, daarmee wordt bedoeld dat er al sprekend kansen blijven voor datgene wat niet in beeld komt. Een voorbeeld.

> *Wij spreken over deze zaken, en er komt een klein meisje binnen dat plotseling over haar step begint terwijl ik net een zin over stilte heb gezegd. Die zin van dat kind past er helemaal niet bij. Je geeft zo'n meisje een snoepje en je zorgt dat het zwijgt. Dat is uitsluiten.*

Door elke zin die ik zeg, bepaal ik een orde, waaruit 'onaangepaste' vervolgzinnen als vanzelfsprekend geweerd worden. Maar zou een andere zin die er niet vanzelfsprekend bij past, ook op mijn zin mogen volgen? In feite wordt iemand die met een ander soort taal komt, altijd buitengesloten. Daarom suggereerde Lyotard, een landgenoot en collega van Derrida, dat we na elke zin moeten openstaan voor de mogelijkheid van een vervolgzin van geheel andere orde. Hiervoor, dus voor het openstaan voor het geheel andere, is stilte nodig als verhoogde passiviteit. Meer kan ik er in taal niet over zeggen, of het moest zijn met een gedicht van Gezelle.

> *Als de ziele luistert*
> *spreekt het al een taal dat leeft,*
> *'t lijzigste* [1] *gefluister*
> *ook een taal en teeken heeft:*
> *blâren van de boomen*
> *kouten met malkaar gezwind,*
> *baren in de stroomen*
> *klappen luide en welgezind,*
> *wind en wee en wolken,*
> *wegelen* [2] *van Gods heiligen voet,*
> *talen en vertolken*
> *'t diep gedoken Woord zoo zoet...*
> *als de ziele luistert!*

> *Guido Gezelle* [3]

---

[1] zachtste
[2] verkleinwoord van: wegen
[3] uit: *Mijn Dichten, mijn Geliefde.* Gent: Poëziecentrum. 1989, p.233.

9

Fluit er een meisje van elf

SARA VAN DE REEP

Sara, groep zeven, wil wel wat zeggen, maar mamma moet er bij zijn. Ze heeft het druk, want ze moet nog naar een vriendinnetje en naar de kinderboerderij, en ze wil ook nog lezen. 's Avonds heeft ze wel tijd.

Soms vind ik stilte heel fijn. Bij de herdenking van de oorlog, als iedereen daar zo staat, en als er kransen worden gelegd. Als dan iemand niet meedoet, is dat oneerlijk.

Soms vind ik stilte helemaal niet fijn. Als iemand heel boos is, gaat iedereen stil zitten zijn. Zo saai! En begrafenissen, dat is ook helemáál niet leuk. Wat ik ook heel vervelend vind, als mensen plotseling niks meer zeggen. Toen opa dood was, kwam ik naar beneden. Alle grote mensen waren aan het praten, en toen hielden ze plotseling op. Nou, toen dacht ik: wat moet ik hier? Dat is niet fijn.

Als ik stil ben, zit er niks meer in mijn hoofd. Als ik bezig ben, ben ik druk in mijn hoofd. Dan denk ik nog aan alles. Als ik heb kunnen doen wat ik wou doen, dan kan ik stil zijn. En het wordt ook stil als ik 's avonds in het donker loop met pappa. Omdat het op straat stil is, word je vanzelf ook stil.

Grote mensen zijn vaak niet stil. Als ze iets moeten, zijn ze niet echt stil. Dan moeten ze eerst afwassen, dan nog afdrogen. Of nog een kopje lijmen. De hele tijd geloop heen

en weer. Nee, als je niks meer moet, dan is het pas stil. Er is ook vaak te veel lawaai. Ik hoop dat ze nog eens auto's uitvinden zonder geluid. Wat ook erg is, dat is een wasmachine waar de knopen steeds tegen de trommel aankomen.

Als ik stil ben, dan wil ik graag beesten aaien. Ik praat dan tegen ze, maar ik ben dan wel stil. Ik ben ook vaak stil als ik dwarsfluit. Maar als ik dan aan iets anders denk, dan ben ik niet meer stil. Dan gaat alles fout.

Elke dag speel ik dwarsfluit, heel vaak met mamma bij de piano. Als ik heel snel moet spelen, ben ik niet stil. En als het hele hoge noten zijn, denk ik: hoe moeten die ook al weer? Maar als ik het heel mooi vind, en het gaat met bekende noten, dan is het stil.

Ik weet nog hoe het fluiten begon. Toen we verhuisden, zag ik de doos. Hé, wat zou daar in zitten? Een fluit! Ik kon er direct een paar noten uit krijgen. En met Katinka heb ik het toen verder geprobeerd. Die fluit was van pappa, maar ik kreeg hem op mijn verjaardag. Toen heb ik een jaar les gehad, en ik wou heel graag doorgaan. Toen zei mamma dat ik wel een nieuwe fluit waard was. Ik vind het gewoon mooi. Als ik fluit, kan ik stil zijn. Ik denk dan vaak aan wat ik heb meegemaakt. Er is een Napolitaans wijsje; nou, dan denk ik altijd aan spaghetti en pizza. Straks speel ik met mamma 'Ik hou van Holland'. Dan denk ik aan opa omdat hij dat altijd zong op de fiets.

Grote mensen, die zijn ook anders stil. Pappa denkt vaak; dan staart die voor zich uit. Mamma speelt veel piano. Dat vind ik heerlijk als ik 's avonds in bed lig. Dan slaap ik gauw. En als ik 's morgens wakker word, hoop ik dat iemand niet schreeuwt van: "Sara, wakker worden!" Dan hoop ik dat het nog even stil blijft. Meer weet ik niet.

10

Geborgenheid, eenzaamheid en recreatie

THEUN DE VRIES

De jongere generatie kent van hem vooral een verfilmd boek Het Meisje met het Rode Haar, *maar hij heeft veel meer geschreven. Het aantal romans en vertalingen ervan overtreft het aantal verjaardagen (85). "Het enige nadeel van mijn leeftijd is dat ik nu moe word na een paar uur schrijven." Over doodgaan heeft hij nooit willen praten: "Je laat een leven lang wat pluisjes vallen." Hij keert nu soms vaker terug naar zijn jeugd, en schrijft gedichten in het Fries, de taal van zijn geboortegrond.*

Al heel vroeg communist geworden door zijn afkeer van Hitler. Werd na de Tweede Wereldoorlog een vooraanstaand lid van de CPN. Hij heeft Stalin begraven, eerst letterlijk in 1953 met grootheden als Molotov (van die cocktail), daarna figuurlijk in 1971 door na 35 jaar het lidmaatschap van de CPN op te zeggen.

Kwam in een isolement omdat hij het neerslaan van de Hongaarse opstand goedkeurde. Kreeg wel de P.C. Hooftprijs en een eredoctoraat in Groningen. Maar het isolement bleef. "Ik had een keuze gemaakt. En duizenden intellectuelen met mij. Wij wilden dat systeem zo graag blijven zien als voorbode van het echte socialisme. Wij wilden niet kwaadspreken en meedoen aan plat-kapitalistisch vijandsdenken. Het was een verschrikkelijke vergissing. Wij zijn gewoon bedrogen."

De vertrouwdheid met de stilte heb ik als kind meegekregen. Ik ben opgegroeid in Veenwouden in Friesland, bij de stilte van de bossen. De zandpaden met heesters erlangs, en af en toe een boerderij verscholen in een boomgaard. Als kind geef je je daar geen rekenschap van. Maar achteraf heb ik me gerealiseerd dat het de eenheid met de natuur was die mij voedde. De beslotenheid, de geborgenheid, en ook het heel intieme van een kamer waar oudere nichtjes mij sagen vertelden. Die stilte betekende voor mij: het niet uitgeleverd zijn aan vijandige machten buiten mezelf. Het verlangen naar die intieme stilte heeft mij mijn hele leven vergezeld.

Toch waren er ook heel andere stiltes. Ik werd bibliothecaris in Sneek. Mijn eerste gedichten waren net goed ontvangen door Marsman en Coster. Maar mijn baas zei dat hij niets op had met dichters. Ik kende daar in Sneek niemand. Ik fietste in wanhoop naar de dichter Bloem die toen in St.-Nicolaasga woonde. Toen heb ik de stilte als een geweldige druk ervaren, als unheimisch – nee ik kom niet op het woord – als luguber, nou ja als een soort bedreiging. Dat vlakke open landschap, vreselijk! Ja, nu weet ik het woord weer: 'onguur'. Toen zag ik alleen maar iets van 'het nihil'. Nu vind ik dat landschap prachtig.

Wel kwam er verandering in die vreselijke stilte. Ik herinner mij nog urenlange wandelingen in mijn eentje over de Veluwse heidevelden. Ik kende alleen de geur van loofbossen. Toen rook ik bij Kootwijk en Ugchelen die droevige, die eigenaardig trieste geur van naaldbossen. De dokter had mij valeriaan voorgeschreven tegen mijn 'nerveuze storingen'. Maar dat was ridicuul. Ik kreeg een vreselijke inzinking, een soort psychose. Ik voelde mij zo onbegrepen in mijn ontluikend dichterschap. Ook mijn ouders konden er niet mee overweg. Ik kreeg wel adviezen van de latere hoogleraar Overdiep, maar dat hielp weinig.

Urenlang liep ik dan in enorme stiltes. Apeldoorn was toen niet veel meer dan een hoofdstraat. Al wandelend heb ik veel gedichten gemaakt. Toen is ook het idee ontstaan voor mijn eerste roman 'Rembrandt'. Een tijdje geleden is nog een mooie herdruk verschenen. Ik denk dat ik mezelf op de been heb geholpen door die wandelingen. Ik herinner me nog de geur van een zandpaadje in de vrieskou. Ik zie het nog precies voor me.

Stilte I (1986)

De rein wie oer. De beam
Stie mânsk, in Irminsûl,
En skodde him. In stoarm
Fan fûgels saaide wei
Doe wier it stil. De wyn
Sykhelle hast net mear.
It waard in sulveren jûn
Foar it earst hearde ik wer
Muzyk yn mysels.

De regen was voorbij. De boom
Stond fors, een Irminzuil,
En schudde zich. Een storm
Van vogels scheerde weg.
Toen was het stil. De wind
Haalde bijna geen adem meer.
Het werd een zilveren avond.
Voor het eerst hoorde ik weer
Muziek in mezelf.

Ik heb nog een heel andere stilte leren kennen. De stilte rond mijn persoon: geen weerklank krijgen als auteur, niet begrepen worden. De stilte van de boycot. En dat is nog niet helemaal over. Overal kom ik nog restantjes koude oorlog tegen.

Een kunstenaar werkt en wil contact met zijn publiek. In de eerste jaren na de oorlog lag de glans van het verzet nog over mijn werk. Daarna werd ik beschouwd als een vertegenwoordiger van een vijandelijke mogendheid. Toch voel ik mij drager van de Nederlandse cultuur. Ik heb de lezers mijn gedachten, meningen en fantasieën aangeboden. Maar ze zijn slecht geaccepteerd. Je presenteert iets, en je hoort alleen maar stilte. Ik voel mij verwant met Busken Huet. Die is ook uitgespuugd en ging naar Parijs. Terwijl zo iemand toch *Het Land van Rembrandt* schreef. Kijk, Hermans ging ook weg, maar dat was ressentiment. En hij heeft niet te klagen over gebrek aan begrip. Ik ben gebleven, en bleef miskend. Die P.C. Hooftprijs was alleen maar het slechte geweten van de anderen. Mijn dochter zat in Amsterdam op het Barlaeus. In de schoolbibliotheek was van haar eigen vader geen enkel boek te vinden! Als ik optrad in de serie 'Schrijvers op School' kreeg ik keer op keer alleen maar agressieve vragen van leerlingen in wie je de vooroordelen van de leraren zag. Er was slechts een enkele kritische scholier.

Nu zit ik te klagen. Dat vind ik vervelend. Ik heb altijd een paar vrienden gehouden, en ik heb altijd een uitgever gevonden. Maar bij het ouder worden vallen wel je vrienden weg. Johan van der Woude, Nijhoff, Vestdijk, Hoornik, de componist Escher ... allemaal gegaan.

Andere vormen van stilte zoals bijvoorbeeld meditatie, dat is niets voor mij. Het uitschakelen van de buitenwereld past gewoon niet bij mijn karakter. Wel ken ik de stilte van uitgelezen ogenblikken. De overgave aan het absolute, het onbewuste. Dat is het levensgevoel zélf. Je komt dan bij de essentie van je bewustzijn. In zo'n stilte wordt de ziel gerecreëerd. En met 'ziel' of 'anima' bedoel ik de levenskracht in mezelf, het wezenlijke van al mijn wederwaardig-

67

heden, gevoelens en verworvenheden. De anima is voor mij de samenvatting van alles wat de levensstroom voedt, onderhoudt en inhoud verleent. Maar ik verbind daar geen enkele mystieke opvatting aan.

Het omgaan met de stilte van de eenzaamheid is deels opgelost door betrekkelijk jong te trouwen. Verder bestaat er tegen de stilte van de verlatenheid voor mij maar één medicijn: praten met een ander. Ook kan ik beter tegen de eenzaamheid wanneer ik minder lawaai om me heen heb. Ik woon nu al jaren met mijn vriendin in deze stille tuin van Amsterdam, de Jordaan. Hier vind ik de rust van mijn jeugd midden in de Nederlandse cultuur. Jammer dat daar aan de overkant een huis wordt verbouwd. Dat geeft zoveel lawaai. En dan af en toe ook nog zo'n motorfietsfanaat!

De stilte met alleen natuurlijke geluiden is als een schoonmaakproces. Zo'n stilte werkt als een accu. Die kwaliteit van stilte in de natuur, heb ik nodig voor de concentratie van levensenergie, denkenergie en verbeeldingsenergie.

Stilte II (1986)

De stêdstún lei besletten.
Gjin lûd fan bûten, wylst der
Auto's op inoar fleagen, in jonge
Syn skonk ferspile ûnder de tram
En de junk syn offer yn 'e hûd stiek -
Stilte. Fier fan de wrâld.
In heal ferwile roas boppe giel gers.
De wynrank liet wat blêdden dwarrelje,
Elk blêd in grut bloedrea hillich hert.
In protter sette del.
Wy eagen nei inoar.
Unferweechlik
As wiene wy it ienige libben,
Miskien it lêste, op ierde.

De stadstuin lag besloten
Geen gerucht van buiten, terwijl daar
Auto's op elkaar vlogen, een jongen
Zijn been verspeelde onder de tram
En de junk zijn slachtoffer in z'n balg stak -
Stilte. Ver van de wereld
Een half verwelkte roos boven geel gras.
De wijnrank laat wat bladeren dwarrelen,
Elk blad een groot bloedrood heilig hart.
Een spreeuw streek neer,
Wij keken naar elkaar,
Onbeweeglijk
Als waren wij het enige leven,
Misschien het laatste op aarde.

11

Het onvermogen overstegen

LIANNE VAN DE VEN

Ze is zevendejaars psychologie. Heeft als specialisatierichting Arbeid en Organisatie gekozen. Na een half jaar is ze weer naar haar studiebegeleider gegaan. Ze wil nu haar scriptie afmaken. Dan is ze klaar voor het kind komt.

Nu ik zwanger ben, merk ik dat een zwangerschap niet verstilt. Ik krijg het eerder drukker! Gelukkig heb je negen maanden om je voor te bereiden. Het ontroert wel. Het meest ontroerende is het samengaan van een tegenstelling. Aan de ene kant is het zo wonderlijk; het moment dat je voor het eerst het hartje hoort kloppen. Aan de andere kant is het zo gewoon; miljoenen vrouwen krijgen kinderen. Verwachting. Ik verheug me op de ervaring dat je een kind liefde kunt geven, en dat je merkt dat het zo'n wezentje goed doet, en dat je er zelf plezier in hebt.

Stilte ervaar ik als ik de hond uitlaat en de zon schijnt, en ik zie moeders staan bij het hek van de kleuterschool. Dan krijg ik een heel vredig gevoel in het besef dat ik een kind in me draag. Stilte begint voor mij op het moment dat alles wegvalt, dat alle conditionering en alle gedachten van me afvallen. In die stilte ben ik oorspronkelijk, en niet meer bezig met mezelf of hoe anderen over mij denken.

In de stilte gaan, denk ik, tijd en ruimte in elkaar over. Normaal leg ik alles langs de meetlat van tijd en ruimte. In de tijd weet ik wat ik gedaan heb, en plan ik wat ik ga doen.

In de ruimte hoor ik het geluid van de buren of in de lucht. Maar plotseling verandert er iets in mijn verhouding tot tijd en ruimte. Die meetlatten vallen weg. Het is niet een moment. Ik blijf ondertussen gedachten hebben, of naar muziek luisteren. Ik ga gewoon door. Wel ervaar ik alles veel intenser en helderder.

Het is stilte van de geest, van mijn bewustzijn, mijn 'ik'. Rationeel kan ik echter geen punt aanwijzen dat 'ik' zegt. Ik ben niks, ik ervaar alleen mijn bewustzijn, maar dat ben ik weer. De geest is zoiets als de essentie van mijn bewustzijn. Ik kan dat niet bevatten.

Voor mij heeft stilte ook met pijn en verdriet te maken. De teleurstelling dat het zo anders is dan ik verwacht had. De eenzaamheid van niet begrepen worden, dat er niemand is die de wereld ziet zoals ik die zie.

Toch is stilte niet alleen die pijn. Stilte ontstaat juist in het inzicht in het contrast of beter gezegd: stilte ontstaat in de synthese tussen verdriet en inzicht in het verdriet. Daar is empathie voor nodig, empathie voor je eigen leven. Ik merk dat aan mijn huilen. Normaal voel ik me redelijk sterk, stabiel. Maar soms vind ik het – hoe gek dat ook klinkt – heerlijk dat ik ergens een kwartier intens om moet huilen. Het gaat om het inzicht dat ik altijd vertrouwen in mezelf heb behouden. Het is ook afstand nemen van alle geploeter. Het verdriet is dan niet weg. In therapie hebben ze het wel eens over 'corrigerende ervaringen'. Maar mijn eigen ervaring moet altijd overeind blijven! Dus die ervaring van het verdriet en ook de ervaring dat ik meeleef met mezelf, mijn ik-van-nu met mijn ik-van-vroeger. Of misschien komt dan mijn 'wijzer ik' dat er altijd is, in contact met mijn 'dagelijks ik'. De synthese tussen die twee, dat is voor mij stilte.

Zo'n ervaring gaat boven redenering uit. Het is iets oers. Ik noem het ook stilte omdat ik er kracht aan ontleen. En ook, omdat ik op dat moment iets afrond waar ik mee bezig ben. Zo'n stilte kan trouwens tussen alle beslommeringen door 'gebeuren'. Het is geen deel van het dagelijkse leven in werken en praten, en toch ook weer wel omdat het er duidelijk bijhoort. Maar wij weten niet hoe we zo'n stilte in het dagelijkse leven moeten opnemen, integreren.

Ik ken eigenlijk geen andere woorden voor stilte. Misschien zou ik zeggen 'God'. Maar dan komt er ook onmiddellijk bij me boven 'geen mens die mij verstond'. Waarom zou ik het over God hebben? Ik hoef het toch voor niemand te zeggen. Wie het verstaat, verstaat het; wie het niet verstaat, verstaat het niet. Maar niemand die daarmee 'mij' verstaat. Stilte is onzegbaar. Ons denken heeft wel behoefte om het te pakken, te benoemen. Maar er komen dan structuren, theorieën en systemen die niets meer met ervaring te maken hebben. Ik denk dat je je dan laat meeslepen door gedachten.

Er zijn wel gewone woorden voor stilte: rust of vrede. Een paar jaar geleden was ik in Rome. Daar zijn overal kerken, dat is leuk. Het was daar vreselijk druk met auto's en veel uiterlijk vertoon van nieuwe mode en luxe interieurs. En dan plotseling in zo'n kerkje de stilte van het verleden, met een paar mensen die daar zijn komen binnenlopen. Die stilte werd ook gerespecteerd. Dat is echt een heilige stilte. In Rome kon ik me daar heel gemakkelijk voor openstellen, omdat het daar zo gewoon was. Hier in Nederland is het katholiek zijn (wat ik trouwens niet meer ben, ik heb me op m'n achttiende laten uitschrijven) met zoveel problemen omgeven. Als ik hier een kerk binnenkom, voel ik meestal iets onoprechts.

Ik denk dat de pijn, de teleurstelling voor mij wel de ingang tot stilte is geweest. Maar tegenover teleurstelling staat natuurlijk verwachting. Ze horen bij elkaar. Trouwens, het gaat me niet om het kwijt willen raken van pijn. Ik wil de pijn integreren. Het is ook een bron. Je ontvlucht niks, je slaat geen zwarte bladzijde om. De pijn blijft, maar door de synthese komt er als het ware een parapluutje boven.

Het gaat om het overstijgen van het contrast tussen de goede bedoeling en de mislukte uitvoering. In stilte wordt het onvermogen overstegen. En waarom dat onvermogen overstegen moet worden, dat weet ik ook niet. Dat gaat gewoon vanzelf. Dan zie je ook lijn in je leven. Als kind liggen er allerlei brokstukken ervaring en inzicht op de grond. En langzamerhand ontstaat er een eenheid waarin alle brokstukken worden opgenomen. Het leven wordt steeds meer een geheel, en voor mij steeds mooier. Als de eenheid groeit, word je een wijs, oud mens.

12

De transistorterreur

HENNY VRIENTEN

De media vertellen over hem het volgende. Een popmuzikant die met zijn groep Doe Maar *bijna net zo populair werd als de Beatles. Op het hoogtepunt van zijn roem trok hij zich in stilte terug. Is nu – na zeven jaar – terug met een nieuwe cd,* Mijn hart slaapt nooit. *Zijn muziek is ingetogener geworden volgens kenners, maar alle oude registers gaan ook weer open bij het lied 'Fijn om er niet bij te horen'.*

Stilte? Dat kennen we toch niet meer in deze tijd! Wat wij voor lief nemen aan geluiden, dat is immens. Wat wij als normaal beschouwen, dat is toch abnormaal! Zelfs in dit huis met dubbele ramen aan de voorkant dringt het geluid van straaljagers nog door. Gelukkig komen er nu wel vogels nestelen aan de achterkant. Stilte? Neem nou de telefoon. Ik ben altijd een beetje kwaad als er iemand belt. En het toppunt van brutaliteit vind ik een zakelijk telefoontje in de avonduren. Nota bene: zomaar inbreken 'in the bossom of the family'! Een brief is veel stiller, veel verontschuldigender. Bovendien sluit je veel onzin uit.

Onze hele cultuur is nu bezig om daadwerkelijk de stilte te vermijden. Overal om je heen – op straat, in winkels en restaurants – hoor je de vreselijkste muziek. In onze straat werd laatst een gevel gerenoveerd. Vier 'maakmensen' – zoals een van onze kinderen zegt – begonnen dagenlang 's morgens vroeg hier te werken. Maar het eerste wat ze deden, was: vier gigantische transistorradio's aansluiten! De muziekindustrie is alomtegenwoordig. En zoals bij elke indus-

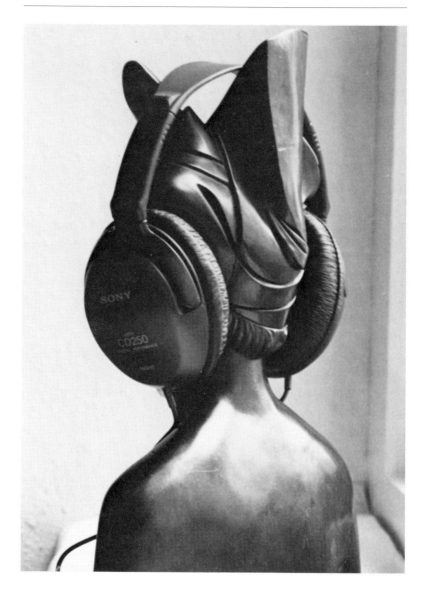

trie, moet er zoveel mogelijk geproduceerd worden. Het is te veel. Dat belast mij. Ik doe, omdat ik nu eenmaal dit vak uitoefen, mee aan deze vorm van luchtvervuiling. Muziek is een van de contrapunten van stilte. Soms vraag ik me af of er nog wel muziek gemaakt kan worden in deze tijd.

Veel popmuziek kent geen dynamiek, geen verschil in decibellen en beweging. Als je altijd de knop van je versterker direct op tien zet, en nooit eens begint met drie of vier, dan krijg je geen variatie. Bovendien is de muziek in de lage standen beter te horen en te versterken. In de tijd van *Doe Maar* zijn mijn oren gelukkig niet kapotgegaan. Ons volume is altijd een 'christelijk' volume geweest, om het maar eens foutief te zeggen. Door de dynamiek kun je ook stilte hoorbaar maken in muziek, bijvoorbeeld door de spanning van hevige muziek en daarna een verstild instrument. Stilte ontstaat door contrast.

Het afscheid van *Doe Maar* had niets te maken met stilte rond mijn persoon. Het was veel meer het te abstracte succes. Je brengt een plaat uit, en de eerste dag worden er direct 120.000 verkocht! Sommige mensen zijn geboren om een bekende persoonlijkheid te zijn, maar ik behoor tot de groep die daar moeite mee heeft. Het imago werkte zo vervreemdend. Ik wilde af van de terreur van de drie-minuten-muziek die tot kopen moet bewegen. Het feit dat ik nu iedere première probeer te vermijden, wordt vaak als arrogant opgevat. Maar als ik overal bij zou zijn, zou ik ver van stilte af raken.

Na *Doe Maar* was er, ook muzikaal gesproken, geen sprake van stilte. Ik heb platen geproduceerd en theater- en filmmuziek gemaakt. Dat is gebeurd in anonimiteit. Aan die anonimiteit ben ik gehecht geraakt. Ook hier hoor je trouwens vaak te veel muziek. Neem die prachtig verstilde, bijna gefluisterde toetsen van Satie. Je kunt geen documentaire meer zien, of ze hebben het er onder geduwd. Helemaal kapot gebruikt. Heel vaak is er geen muziek nodig. Dan zijn de brongeluiden (voetstappen, een dichtklappend autoportier enz.) voldoende. Maar als ik dat aan de regisseur voorstel, dan kijkt hij me aan of ik aan werkontduiking doe. Wist je dat er omroepen zijn waarbij de programma-aftiteling maximaal tien seconden mag duren, en waarbij er dan per se geen stilte mag vallen? Anders gaan de kijkers 'zappen'. In de media-wereld is stilte volstrekt negatief. Zo is het ook altijd gegaan in tv-interviews. Je moet snel zijn, gevat en ad rem, niet nadenken en veel praten; het doet er niet toe waarover.

Onze cultuur kan niets met stilte. Een stilte 'valt' ook alleen maar bij ons. Meestal is het woord 'stilte' een bevel. En als er om stilte gevraagd wordt, is dat om iemand anders weer geluid te laten voortbrengen. Zo moet stilte ook voor onze kinderen wel iets negatiefs worden. Waarom toch die angst voor stilte? Het is zo jammer dat het volgende gezegde zo vreselijk clichématig klinkt: "Je hebt pas een vriend als je er niet mee hoeft te praten."

Ik ben geen muzikant die bij het ouder worden buiten de tijd raakt. Ik geniet elke dag heel bijzonder. Maar als er een tijdmachine zou bestaan, zou ik naar de achttiende of negentiende eeuw terug willen. In die tijd moest je je best doen om muziek te horen. Nietzsche schreef hoe hij eens met vrienden door een stad liep, en plotseling pianomuziek hoorde, en hoe ze daar een uur onder een open raam bleven staan! In die tijd werd muziek nog gemaakt, en niet geproduceerd via 'public address systems'. O, ik maak me geen illusies. In die tijd was het in de grote steden ook een hels kabaal: geratel van wagenwielen, gekerm van mensen. Maar die pre-industriële tijd trekt mij enorm.

De stilte trekt mij, omdat die in mijn vak in deze tijd zo schaars is. Stilte ontstaat bij mij door lezen en door nadenken. Er is in deze tijd trouwens bijna geen bezigheid te bedenken waarmee je anderen zo weinig irriteert als met lezen. Elke verloren minuut, in de studio en zelfs voor een stoplicht, lees ik. Ik praat er niet graag over. Als ik een mediafiguur hoor zeggen dat-ie iets klassieks leest, dan denk ik: Man, lees. En praat er niet over!

Ik doe het nu toch maar. Misschien kopen mensen die van mijn muziek houden, dan ook eens zo'n bundel. Dan zou er meer stilte zijn in onze cultuur. Ik heb op drie plaatsen een volledige editie van Gezelle, zodat ik hem altijd kan lezen. Ken je die prachtige regel uit het gedicht over Gorter van Gerrit Kouwenaar?

Stilstaande staat men verdwaald in een kind

Ik kan niet anders over stilte spreken dan zo. Die regel doet mij denken aan "The child is the father of the man" van de Engelse dichter Wordsworth. Ik lees veel Engelse dichters en essayisten: Boswell, Hunt, Johnson, Lamb, Coleridge. Ook Nederlandse poëzie is schitterend. Ik lees vooral Nijhoff en Gerhardt. Maar mijn grootste gids blijft Eliot. Heimelijk verwijs ik naar wat ik lees. Op mijn nieuwe cd herkennen sommigen een citaat uit Dante of dichtregels van Eliot. Verder praat ik er niet over. Eens in de zes weken lezen wij met een paar vrienden filosofie en poëzie.
Ik heb ook een afdeling 'kerkdenkers'. Daar heb ik mee kennisgemaakt op het seminarie. Die prachtige passages uit de *Confessiones* van Augustinus. En dan die onsterfelijke zin van Johannes van het Kruis die twaalf jaar in een donkere cel zat, en toen schreef: "Het donker is mij licht genoeg."

Die kracht van het mediteren naar een bepaald doel, zoals Thomas van Aquino dat heeft, ligt niet binnen mijn bereik. Dat is mij inmiddels duidelijk geworden. Misschien zou ik er open voor staan als ik een ander leven zou hebben. Wel blijf ik grote liefde houden voor metafysische poëzie, poëzie die de aarde ontstijgt. Als ik langs een kerk kom, ga ik altijd even naar binnen. Ik heb geen dialoog met God, maar ik ben soms wel jaloers op mensen die daar in stilte contact hebben. Mijn zoontjes neem ik dan graag mee, en dan probeer ik uit te leggen wat God is en wat bidden is. Maar dat lukt dan niet goed. Dan houden wij onze mond in stilte, uit respect voor anderen die in rust zijn.

Ik denk dat stilte begint bij respect. Daarom heb ik ook zo'n hekel aan mensen die hard praten als ze door een bos wandelen. Het klinkt misschien wat misplaatst, maar daar probeert toch een mannetje een vrouwtje te versieren. En daar lopen wij dan doorheen te brullen! Dat respect zit voor mij ook in het lezen en het nadenken.

Zo leef ik nu in deze werkkamer. 's Morgens breng ik eerst de kinderen naar school, en dan zit ik hier. Mijn vrouw en ik nemen daarin niets voor 'granted'. Wij zeggen zo vaak tegen elkaar dat wij het goed hebben. Kijk, deze boekenkast. Dat ik zomaar een Gorter kan opslaan! Soms bekruipt mij het gevoel: is deze rijkdom wel voor mij bedoeld? Mijn opa was een keuterboertje, en ik heb als zoon van een arbeider een cultuurshock te verwerken gehad. Ik kom van de straat en maak straatmuziek die als popmuziek geldt. Ik heb een prachtig vak, maar de grote dichters en de grote denkers heb ik nodig voor de stilte.

Reservaat

Sterfelijker geworden dan hij ooit was
aan deze kant van zijn melkwitte goden
leest men zijn sporen de keelzee het dag

vleesvoeten lopend krimpen zijn woorden, ruimte
ligt onder het zand, duinwegen weg, bramen
verzuurd, zijn uitzicht verkeken

men moet hier de tijd lezen, dit reservaat
betrappen op wat zich vermist, de wandelkaart
aan de herinnerde wind prijsgeven

stilstaande staat men verdwaald in een kind
witzon breekt een hand uit de wolken
wijzend omlaag, naar de grond –

Gerrit Kouwenaar [1]

---

1 uit: *Een Geur van Verbrande Veren*. Amsterdam: Querido. 1991, p. 31.

13

Stilte voor de start

LEONTIEN VAN MOORSEL

'Tinus' is haar bijnaam. 'Onzen Tinus' is 22 jaar. Ze is wereldkampioene wielrennen op de baan en op de weg. Ze vulde vakken in de supermarkt in haar woonplaats, en doet dat af en toe nog wel eens. Dagelijks traint ze een uur of vijf, zes. "Goh, wat leuk! Eindelijk eens niet zo'n journalist."

Stilte?! Daar heb ik zo'n hekel aan. Hoe meer er gekeet wordt, hoe beter ik het vind. Ik zou nooit op mijn eigen willen wonen. 's Avonds alleen in huis! Nee zeg, dat vind ik eng.

En de stilte voor de start van een proloog bijvoorbeeld, die klets ik gewoon vol. Ik praat dan in mezelf. Dingen als: Ik moet zorgen dat het goed gaat. Kom op, hele jaar getraind. Doe het! Je kunt het! Direct vechten. Zo snel mogelijk naar voren. Duwen. Karakter tonen! Ik wil iets bereiken in mijn leven. Ik wil iets beter kunnen dan een ander. Het is toch mooi om iets te bereiken in je leven? Anders heb je toch geen doel?

Dat in mezelf praten doe ik ook als het tegenvalt. Dan zeg ik tegen mezelf: Jij wou toch Olympisch kampioene worden. Nou, toe dan! Of doe het dan voor je ouders en je trainer. Ach je moet gewoon geloven in jezelf. Als je denkt dat je het niet kunt, kun je het ook niet. En als het dan niet lukt, moet je nagaan wat je verkeerd gedaan hebt. Dan is het meestal ergens goed voor.

Nee, ik heb echt een bloedhekel aan stilte. Die keer in Japan toen ik voor de eerste keer wereldkampioene werd. Toen was het even stil voor ze het Wilhelmus voor me speelden. Toen wou ik dat ons pap en mam erbij waren, maar die zaten ver weg in Nederland.

Stilte? Ik weet daar niks over te zeggen. 's Avonds stil in bed, dan denk ik na. Dan heb ik ook gehoord hoe de volgende dag het weer wordt, en dan kan ik mijn programma opstellen. En als 's morgens mijn hartslag laag is, kan ik nog een extra intervaltraining doen. Ze vragen wel eens of ik eenzaam ben. Maar dat ben ik niet.

Ik herinner me nog, toen ik achttien was, een training in de Pyreneeën. Zo eenzaam en zo zwaar. Ik dacht: hoe kan ik me zo laten vallen dat het geen pijn doet. Dat is afzien. Waar ben ik mee bezig, waar doe ik het voor? Maar als je dan onder de douche staat, ben je het weer vergeten. Als ik train, voel ik me nooit alleen. Ik heb dan mijn walkman op. Nee, ik ben helemaal niet iemand om te genieten van de rust. Lekker stil in de bossen of zo, nee bah!

Als het moeilijk wordt, bel ik naar huis: morgen zo'n gevaarlijk afdaling. Dan gaat ons mam hier naar Handel, Mariabedevaart, en steekt ze een kaarsje aan in de kapel. Ik geloof er heilig in dat we het samen doen. Ik heb een engelbewaarder. Kijk maar naar al die valpartijen waar ik zonder pijn uitkwam.

Een eenpersoons hotelkamer, een dag voor de wedstrijd, dat vind ik echt erg. Dan moeten ze me niet alleen laten. Het moet eigenlijk niet stil zijn om me heen. Gelukkig hebben we een goede masseur in de ploeg die dat opvangt. Die zorgt er altijd voor dat het gezellig om ons heen is. Lekker kletsen over van alles en nog wat, en een beetje dollen op de massagetafel. Stilte vind ik veel te eng. Later als ik niet meer zo in de belangstelling sta, ga ik gewoon gezellig mensen opzoeken en samen iets doen.

14

Wie zwijgt, zegt meer

RONALD COHEN

Hij is een paar maanden over uit Amerika, reist door Europa
voor een vergelijkend sociaal-psychologisch onderzoek. Het on-
derwerp is 'stiltebeleving', speciaal onder studenten.

Ik heb twintig jaar onderzoek gedaan naar rechtvaardigheid.
Een van de onderzoeksvragen was: onder welke omstandig-
heden kan iemand het onrecht dat hem of haar is aange-
daan, onder woorden brengen. Ik ben tot de ontdekking
gekomen dat het spreken over onrechtvaardigheid uiterst
moeilijk is. Veel spreken is geen echt spreken, maar alleen
een strategische vorm van onderdrukking.

Meestal wordt er iets anders bedoeld dan er gezegd wordt.
Neem een zin als: "Denk je niet dat het tijd wordt om wat
harder te studeren?" Zo'n vraag naar een mening is eigenlijk
een opdracht of een dreigement. De aangesprokene kan niet
volstaan met het nadenken over die vraag. Juist in taal
kunnen wij elkaar heel subtiel zeer onrechtvaardig behan-
delen. Daarmee bedoel ik: elkaars waardigheid als menselijk
wezen vernietigen.

Het antwoord op een onrechtvaardige handeling kan vaak
niet anders zijn dan stilte. De onderdrukte partij heeft
meestal geen andere mogelijkheid. Neem bijvoorbeeld een
belediging. Stel dat een vader tegen zijn dochter zegt dat zij
zulke rare vrienden heeft. Wat kan die dochter doen? Zij
kan natuurlijk 'terugbeledigen' door onaardige dingen te

zeggen over de vrienden van haar ouders. Maar zij wordt dan in een ongelijke discussie getrokken. In zo'n geval kan 'buiten de taal blijven' een veel beter weerwoord zijn.

Dit is geen superieur zwijgen, maar een zwijgen omdat er geen andere mogelijkheid is, omdat andere vormen van communicatie zijn uitgesloten. Er zijn heel veel vormen van stilte. Die vormen variëren in de Nederlandse taal van 'verstild' tot 'gestild'. Iemand kan uit vrije keus afzien van taal, of zo ontroerd zijn dat woorden tekortschieten. Dan zitten we dicht bij 'verstild'. Maar 'gestild' is heel iets anders. 'Verlangens' of 'honger' kun je 'stillen', dat wil zeggen 'bevredigen' of 'tot zwijgen brengen'. Dit 'gestild zijn' heeft een heel positieve betekenis. Maar 'tot zwijgen brengen' kan ook heel negatief zijn, in de betekenis van 'monddood maken'. In het Engels kun je dat ook in één woord weergeven: '(to) silence (a person)'.

De stilte waar ik door beïnvloed ben, grijpt terug op ervaringen in mijn jeugd. Dat is te intiem om over te praten; dat gaat heel diep. Het gebeurde eerst nauwelijks merkbaar, maar het was bijzonder indringend. Ik kan er niet over praten. Ik kan het alleen onder woorden brengen via een paar zelf verzonnen, soortgelijke gebeurtenissen.

Zij was vier jaar, en kon niet slapen. Ze ging de trap af. Er zat een andere vrouw. Pappa trok verschrikt zijn arm weg, en vroeg wat er was. De volgende dag met pappa en mamma aan het ontbijt. Die blik van pappa: het is beter voor ons alle drie dat we het hier nooit over hebben.

Hun vader had een vereniging opgericht voor dierenbescherming. En zij, twee broertjes, speelden ergens achter een boerderij. De ene broer zag een spin, en begon hem rustig(!) de poten uit te trekken. De andere wou eerst nog ... maar

*plotseling mokerde de martelzucht ook door hem heen. Die
hele middag hebben ze ... Er waren ook kippen. Vreselijk.
's Avonds thuis luisterden ze naar de enthousiaste verhalen
van hun vader. En zij? Zij keken af en toe naar elkaar met
een stomme blik. Altijd is het over dit onderwerp stil gebleven.*

De stilte als geheime afspraak. Een afspraak die nooit ver-
woord is, maar die ook nooit verbroken kan worden. In de
Nederlandse literatuur vinden we zo'n thema terug bij
Couperus in *Van Oude Mensen, de Dingen die Voorbijgaan.*
Twee oude mensen die, in het zwijgen over en weer, weet
hebben van medeplichtigheid aan een moord, in hun jeugd
ver weg in Indonesië. Het is de stilte als samenzwering. Een
ervaring, misschien nog indringender dan een van deze twee
gebeurtenissen, heeft mijn hele leven sterk beïnvloed, en nu
ook mijn onderzoek naar stilte.

Er zijn nogal wat vragen die ik wil beantwoorden in mijn
stilte-onderzoek. Ik wil graag weten welke vormen van stilte
worden onderscheiden. Neem bijvoorbeeld situaties waarin
je niet iets durfde zeggen, en waarover je achteraf je zwijgen
betreurt. Hier een cliché-voorbeeld:

*Vanavond moet ik haar vragen. Zo'n kans komt nooit meer
terug. Het was even stil. Nu of nooit dacht ik. Maar mijn
tong wou niet. Ik was bang ... Toen ging de telefoon. Een
week later hoorde ik via via dat ze die volgende dag heel
onnatuurlijk blij was ingegaan op een aanbod voor een baan
elders.*

Ik vraag mensen naar hun associaties bij het verschijnsel
'betreurenswaardige stilte' en probeer dan te achterhalen
waarom ze niet tot woord gekomen zijn. Verder laat ik
proefpersonen plaatsen en tijden beschrijven die stil zijn. Ik

heb ook Nederlandse studenten hun indrukken gevraagd van de verschillende nationaliteiten. Zij vinden: hoe verder naar het zuiden in Europa, des te minder stil is het; de rustige Zweed en de drukke Italiaan. Intrigerend is ook dat Nederlandse studenten zichzelf als rustig beschouwen, maar de Nederlanders in het algemeen als tamelijk lawaaierig. Het is ook interessant om de verschillende fasen van iemands ontwikkeling te bestuderen op periodes van meer en minder stilte. Zo lijkt het er bijvoorbeeld op dat er voor de puberteit veel stilte is. Vooral wanneer deze fase vergeleken wordt met de adolescentie. Deze periode kenmerkt zich namelijk door heel veel activiteit. Daarna volgt er weer een nieuwe periode van stilte, als de volwassenheid bereikt wordt.

Het is een verkennend onderzoek waarbij het erom gaat zoveel mogelijk aspecten van stilte in de verschillende culturen in kaart te brengen. Het gaat bijvoorbeeld ook om de vraag in hoeverre mensen zich bewust zijn dat ze tot stilte worden gebracht. In een concertzaal worden duizend mensen als door een geheime kracht stil wanneer de dirigent opkomt. Voor een les kan de ene docent met een licht fronsen van het voorhoofd het rumoer doen verstommen, terwijl diezelfde groep bij een andere docent niet stil te krijgen is.

Mij gaat het vooral om de verschillende vormen van stilte. Zo is er een stilte die als goedkeuring kan worden uitgelegd, maar ook een stilte die een diepe vorm van afkeuring uitdrukt. Op grond waarvan kennen we een betekenis toe aan een moment van stilte? Er zijn natuurlijk overduidelijke gevallen: als iemand een racistische grap vertelt, en zijn gesprekspartner zwijgt, dan is het niet moeilijk om zo'n stilte uit te leggen als afwijzing. Maar er zijn andere stiltes die veel moeilijker te interpreteren zijn. In mijn onderzoek stuit ik ook op gevallen waarin stilte het gevolg is van bijvoorbeeld onwetendheid. Als je niet door hebt dat je collega-studenten ook niets begrijpen van het college, blijf je zelf ook zwijgen. In sommige gevallen is er dus kennis nodig om stilte te verbreken. Dat is een andere stilte dan een stilte die het gevolg is van angst om woorden te gebruiken. Met mijn stilte-onderzoek wil ik graag aantonen dat stilte belangrijker is dan spreken. Wij zijn gewend om stilte te zien als achtergrond voor spreken. Maar ik denk dat het net andersom is: het spreken is achtergrond voor stilte. Stilte is geen natuurlijke toestand die ontstaat wanneer het spreken wegvalt. Stilte moet gecreëerd worden.

Er bestaat een heel vreemd idee over het leren van een taal. Als een kind ter wereld komt, kan het in principe alle klanken van alle talen voortbrengen. Maar gaandeweg leert het alleen de eigen taal. Dit zou je kunnen zien als het verstommen van andere expressiemogelijkheden (moeilijke Russische klanken, Chinese toonhoogtevariaties enz.). Een taal leren, is dus een vorm van verstommen. Iets dergelijks schijnt er ook aan de hand te zijn met de ontwikkeling van ons empatisch vermogen. Kleine kinderen reageren heel gevoelig, via huilen, op allerlei empatische prikkels. Maar bij het ouder worden stompt die gevoeligheid af, of houden we slechts een paar kanalen open. Je zou de ontwikkeling van een mensenleven kunnen beschrijven als een voortgaande verenging, als een voortgaande vermindering van mogelijkheden, als een zich steeds verdiepende verstilling, tot aan de grote stilte, de dood.

Dit lijkt een negatieve kijk op stilte, maar dat is slechts schijn. Dat is alleen maar zo, als je stilte blijft zien als achtergrond van spreken. Maar wanneer we stilte ervaren als resultaat van spreken of als antwoord op onrechtvaardige situaties, zegt stilte juist veel meer dan woorden.

Tot besluit nog één voorbeeld. Een verdachte werd ter dood veroordeeld. De rechtbank was na lange procedures tot de conclusie gekomen dat er geen grond was voor verminde-ring van strafmaat. In de rechtszitting vlak voor de executie is het gebruikelijk dat de rechter de verdachte de gelegen-heid geeft een laatste woord te spreken in het openbaar. Het is opvallend dat zo'n gewoonte algemeen geaccepteerd is. De straf staat vast, er kan niets meer veranderen, de galg is opgericht. Toch mag de verdachte nog een weerwoord spreken. Kennelijk willen de gezaghebbende instanties in onze samenlevingen tot het laatst toe benadrukken dat elke verdachte het respect van ons luisteren verdient. Deze ver-dachte stond op. En in de minuten die volgden, kregen rechters en toeschouwers iets ongehoords te horen. De verdachte kreeg het woord en sprak [

] .

But

now   *there are silences*   *and the*
words make   *help make*   *the*
silence   .   *I have nothing to say*
         and I am saying it   *and that is*
poetry   *as I need it*   .
         This space of time   *is organized*
         We need not fear these   *silences.*

John Cage[1]

---

[1] uit: *Silence. Lectures and Writings.* London: Marion Boyars. 1980, p.109.

15

De stroom de stroom
– het blad het blad

AUCKJEN RIDDERBOS-BOERSMA

*Zij is getrouwd en heeft drie bijna volwassen kinderen. In haar
huis, een pastorie, heeft zij een praktijk als psychotherapeute.*

*In mijn werk word ik vaak geconfronteerd met projecties van
cliënten. Iemand komt na een week weer voor een gesprek, en
zegt dan: "Ik ben bang voor je. Ik heb je alles verteld wat in
mij omging, maar je hebt het niet echt ontvangen." Zo iemand
heeft het eigenlijk tegen iemand anders, haar moeder bijvoorbeeld. Maar ik moet voor mezelf wel nagaan in hoeverre zo'n
cliënt gelijk heeft. Soms zijn die confrontaties zo hevig dat ik
het nodig heb om me op mezelf terug te trekken: om te zeven
en te schiften. Het werk drijft mij tot stilte.*

De eerste woorden die naar aanleiding van stilte in mij
opkomen zijn: water, buiten, bidden, ruimte. Ik heb altijd
iets gehad met de zee. Er gaat zo'n rust vanuit. Zo'n grote
diepe vlakte waarin zoveel gebeurt. De zee, een enorme
beweging in grote regelmaat. Je weet waar je op kunt
rekenen.

Ik weet niet wat de inhoud is van die regelmaat. Er komt
alleen een beeld in mij op. Het blad op de stroom. Het blad
is zichzelf en de stroom is zichzelf. Ik ben het blad en ik
word voortdurend aangeraakt, door de atmosfeer, door het
licht. Nu eens zacht, dan weer pijnlijk. Heel concreet, door
mensen van binnen en van buiten aangeraakt. Als ik me
bewust in de stilte begeef, probeer ik een punt te vinden van

overgave aan alles wat er gebeurd is, en nog gebeuren gaat. Ik ben het blad en de stroom stroomt. En ik vertrouw dat die stroom mij draagt en zal meenemen. Ik zal wel ergens tegen aanbotsen, soms te pijnlijk, soms te hard, en dan weer gewoon zachtjes verder drijven. Ten diepste blijft de stroom de stroom, en het blad het blad.

Dat dragende lijkt wel religieus. Als je mij vraagt waar die stroom heengaat, dan is de verleiding groot om een mooi antwoord te geven: naar God. Maar echt, ik weet het niet. Het is meer het vertrouwen dat je ergens terecht komt. Het gaat om het stromende.

Ik denk dat dat vertrouwen gegroeid is door wat ik in mijn werk ervaren heb. Vaak zijn mensen heel erg angstig omdat ze gevoelens hebben die ze zichzelf niet durven toestaan. En ze worden nog banger als je ze uitnodigt om die woede maar eens te uiten. Wat moet zo iemand met het gevoel dat hij zijn vader wel kan vermoorden! En als ik dan vraag om diep vanuit de buik te ademen, maakt dat de gevoelens alleen maar sterker. Dan komen er bevingen en schokken die de angst nog meer doen toenemen. Mensen worden vaak door grote angsten meegevoerd. Maar als ik dan vraag wat er zou kunnen gebeuren, kunnen ze eigenlijk niets bedenken. En dan – meestal liggen we op de grond – kan ik zeggen: "Ik ben bij je; er is lucht genoeg." Dan komt er als vanzelf iets over me dat er niet echt iets kan gebeuren. Door zo te leven maak je, denk ik, ruimte. En die ruimte maak ik in feite ook voor mezelf. Als ik tegen iemand zeg dat zijn of haar gevoelens er mogen zijn, dan moet dat ook inhouden dat de mijne er mogen zijn.

Stilte en therapie hebben heel veel met elkaar te maken. Om stilte te bereiken moet je door verschillende lagen heen. De laag van gepraat, de laag van je vaste bagage aan denkpatronen, je koffertje met overtuigingen, de laag van de altijd voortgaande denkmolen. Onder die lagen loopt een stroom. En 'stroom' is een woord dat in bepaalde therapieën veel wordt gebruikt. Denk maar aan de 'continue ervarings-stroom' van Gendlin, een navolger van Rogers.

Stilte past voor mij bij 'uitrusten' en 'vruchtbaarheid'. Dat merk ik vaak in gesprekken; daar zijn voortdurend stiltes. Die ontstaan omdat ik in mezelf moet zoeken om ervaringen bij elkaar te leggen. Een voorbeeld. Op de vraag 'wat geloof jij?' zou ik pasklaar kunnen antwoorden met een verwijzing naar de geloofsbelijdenis. Daar heb ik geen stilte voor nodig. Maar wanneer ik op een diepere laag wil aangeven wat er op dat moment in mij is, dan heb ik stilte nodig. Dan kom ik niet uit op een standaard-antwoord. Dan is het antwoord morgen weer anders, heeft het vandaag een andere kleur dan gisteren. Er gebeurt niets wanneer je altijd een bekende la uit een bekende kast opentrekt. Loep-zuiver is het verschil aan te voelen tussen de stilte van hoe-kom-ik-hier-weg en de stilte waarin iemand aarzelend een laatje probeert te openen waarvan het bestaan nog niet was vermoed. Je merkt ook in therapie of iemand écht iets vertelt. Soms vertelt iemand zijn geschiedenis, maar dan blijven wij beiden toeschouwers. Het verhaal doet dan niets. Soms ook voel ik tranen, en merk ik dat de ander onaangedaan blijft kijken.

Stilte is in feite 'echt tot woord komen'. Het is je werkelijk toeëigenen wat van jou is. Volgens mij heeft Etty Hillesum het daar ook over in *Het Verstoorde Leven*. Vaak zijn mensen het gevoel voor wat hen eigen is kwijtgeraakt. Het is dan ernstig met ze gesteld. Hoe je zo'n gevoel kunt kwijtraken, kan ik alleen in een beeld zeggen. Neem een heel klein kind, tussen kruipen en lopen, in het stadium van de eerste bewegingen van vader en moeder vandaan. Het kruipt weg, ziet iets en strekt de armpjes uit. Dan draait het zich nog even om, en vangt de blik van de moeder. Moeder knikt: o.k. jij doet dat, jij doet iets los van mij, en het is goed. Dat soort contacten zijn er eindeloos veel. Dat zijn bevestigingen van eigenheid, vanuit een symbiotische toestand naar een eigen ik. Het gaat natuurlijk niet om het alles goedkeuren van een kind. Het gaat om de spiegel, de blik die eigenheid oproept. Er zijn geen volmaakte ouders, maar er zijn mensen die echt te weinig van dit soort ervaringen hebben gehad. Daar begint therapie.

Stilte wordt goed onder woorden gebracht in een gedicht van Ellen Warmond.[1]

> *Zo moet het*
>
> *Alles gevonden*
> *gemeten geweten*
> *daarna alles verloren*
>
> *en eindelijk horen*
> *dit is het:*
> *de stilte zingt.*

Dat 'alles verloren' spreekt mij zo aan. Wat ik bijvoorbeeld verloren heb, dat is de doenerigheid, de illusies, de verwachtingen. Wanneer ik de stilte opzoek in zo'n gedicht, is dat ook het verwerken van pijn. Dan kan ik uitkomen op: nou, laat maar gebeuren.

Als ik niet stil kan worden, volg ik eerst mijn ademhaling. De oorzaak van onrust is vaak dat mijn denken niet wil stoppen. Je hoofd moet voedsel hebben, dus dan geef ik het maar een zinnetje om steeds te zeggen. Krijgt het hoofd toch zijn zin, en wordt het andere denkwerk afgesloten. Zo'n

---

[1] uit: *Persoonsbewijs voor Inwoner.* Amsterdam: Querido. 1991, p.99.

steeds herhaald zinnetje heeft iets van een boor. Je raakt daardoor op diepere lagen. Zoiets is volgens mij ook de werking van liturgie. Het is de kracht van de herhaling. Wij denken altijd dat hetzelfde ons niet verderbrengt. Maar in het deelnemen aan liturgie kun je ervaren dat het anders werkt.

Een hulpmiddel is voor mij een pianoconcert van Chopin of muziek van Satie. Wij hebben in huis ook een aquarel van plompebladeren in het water. In het boek *Sadhana, een Weg tot God* van de Indiase Jezuïet Antony de Mello staan heel goede oefeningen. En hier in de buurt is een grote plas waar ik mijn vaste plekjes heb.

Elke morgen ben ik twintig minuten stil, al een paar jaar. Hoe ik daartoe gekomen ben, weet ik niet precies. Er was een heel concrete, domme aanleiding. Wij kwamen in een huis wonen met achter ons een drukke verkeersweg. Daar werd ik bijna gek van. En ik voelde dat ik dat zou worden ook, als ik van binnen zo druk bleef. Dan kun je die prikkels van buiten er niet meer bij hebben. Er was maar één remedie: van binnen uit tot rust komen. Ik bedoel niet dat stilte afwezigheid is van lawaai. De schrijver van Sadhana zegt dat je in het hart van elk geluid de stilte kunt vinden. Maar als er veel lawaai is, moet je je meer inspannen om de stilte te vinden.

Ik kijk altijd eerst hoe het in mijn lijf gesteld is, voel wat er te voelen is, en loop alles zo'n beetje in gedachten na. Ik adem bewust een tijdje rustig. Ik kijk hoe mijn ademhaling is, dan wordt-ie vanzelf rustig. Dan lees ik een stukje. Vandaag was dat het woord van Maria: "Mij geschiede naar uw woord." Daar kauw ik dan een tijdje op. Het is een soort woord van maximale afhankelijkheid of overgave. Maria kan immers ook niet weten wat er met haar of met het kind gaat gebeuren. Heel vaak bereik je niet echt iets van stilte. Dat hoeft ook niet, heb ik ervaren. Het ermee bezig zijn heeft al een werking.

Een voorbeeld van die werking is dat stilte relativeert. Alles wat mij in beslag kan nemen, krijgt een plekje in het grotere geheel. Het gebeurt ook wel dat je de woede die wordt opgeroepen door een persoon, meer kunt zien als een stukje van die persoon. Als die woede bij mij naar boven komt en er mag zijn, dan komt er ook ruimte voor iets anders. Dan mag ik ook anders zijn dan de ander. Ik kan eigenlijk alleen maar zeggen dat het voor mij heel waardevol is. Ik las een keer de volgende uitspraak. Ik weet dat het een open deur is, maar toch. "Als je besluit te bidden, kun je iets anders niet doen." Dat is heel essentieel. Het lijkt heel simpel, maar het is o zo moeilijk. Als je stil bent, moet je er iets voor opgeven, en daardoor krijgt de stilte iets heel waardevols.

Ik weet niet of ik er nog iets aan kan toevoegen. Als ik over stilte moet praten, kan ik me de verzuchting van Augustinus zo goed voorstellen toen hij iets over de tijd wilde zeggen: "Als je me vraagt wat het is, weet ik het niet. Als je me het niet vraagt, weet ik het." Misschien nog dit. Ik heb een steen op mijn bureau voor het raam. Die vind ik zo mooi. Het is wit marmer met een zwarte ader er doorheen. Zo'n ronding waarin een zon en een maan als het ware in elkaar overgaan. In de fijn geslepen, dunne steen bovenaan wordt het daglicht ontvangen, elke morgen weer anders. Zo'n beetje volmaakt, en gelukkig ook weer niet helemaal. Prachtig wit, en toch loopt er een zwarte barst door. Volmaakt rond, maar onderin een klein spleetje. Het onvolmaakte accentueert juist het volmaakte, zoals geluid ook de stilte accentueert. Het beeld doet niets, maakt geen beweging, is er gewoon, is zichzelf, en ontvangt elke dag een heel klein beetje getemperd licht.

99

16

Als je God een naam moet geven

JAN BLUYSSEN

Bisschop van Den Bosch van 1966 tot 1984. Na zijn emeritaat is hij actief gebleven in bezinning op het geestelijk leven, zoals hij dat ook was als professor aan het Groot Seminarie te Haaren en als deelnemer aan het Tweede Vaticaans Concilie. Als bisschop onder de mensen en als mens onder de bisschoppen heeft hij ervoor gepleit dat de ramen in de kerk werden opengezet.

Voor mij persoonlijk heeft stilte een heel hoge waarde. Voor mij betekent het: niet overgeleverd zijn aan lawaai, aan de wirwar van contacten. Voor mij heeft stilte de prettige bijklank van tot rust komen en kracht putten. Het behoeft dan niet werkelijk stil te zijn. Ook in de stille natuur hoor je nog het ruisen van bladeren, het bewegen van bloemen, het zingen van vogels. De stilte heb ik nodig om een bepaald evenwicht te bewaren in mijn leven. Wil ik in mij al dat chaotische tot evenwicht brengen, dan moet ik zelf niet altijd lawaai maken.

Ook de religieuze stilte is voor mij van groot belang, dat wil zeggen het luisteren naar God. Maar nog afgezien daarvan denk ik dat stilte wezenlijk bij het leven hoort. Dit bedoel ik niet als voorschrift voor anderen. Sommige mensen raken juist in paniek door stilte. Ik sprak onlangs een mevrouw die in een slotklooster was geweest, waar ook tijdens het eten niet gepraat werd. Er werd alleen uit een boek voorgelezen en verder was er het voortdurende geluid van bestek op borden. Die vrouw werd er 'stapel mesjokke' van, en is weggevlucht. Zij zal niet de enige zijn.

In de dagelijkse praktijk betekent stilte voor mij een paar keer per dag rustig zitten of liggen. Er schiet dan van alles door mij heen. Als ik probeer om mij daardoor niet onrustig te laten maken, kan er wat op orde worden gebracht. Zo'n stilte doet heel weldadig aan. Ik kan dan met een en ander rondkomen. In die stilte is er voor mij ook rust om te bidden, te luisteren naar een tekst, naar God. Dan is het goed om veel zorgwekkende situaties daarin op te nemen.

Ik krijg lang niet altijd antwoord in dit luisteren. Op dit punt heb ik veel van de kerkvader Augustinus geleerd. Die zei dat je niet moet proberen om de zaken mooi onder woorden te brengen. Het gaat erom dat je zelf ontvankelijk wordt, dat je je hart in de stilte openzet voor de diepere krachten.

Ik denk dat veel mensen een heel verkeerd beeld van stilte hebben. Johannes van het Kruis schreef vanuit Granada op 22 november 1587 een brief aan de ongeschoeide Karmelietessen in Beas. Zijn woorden over stilte vormen voor mij een diepe waarheid. Hier volgen drie van zijn uitspraken.

Wanneer ergens een tekort aan is – zo er al aan iets een tekort is – dan is het toch niet aan schrijven en spreken – gewoonlijk is dit immers overvloedig voorhanden – maar aan zwijgen en praktijk. Bovendien: spreken verstrooit, maar zwijgen en bezig zijn schenken ingekeerdheid en kracht aan de geest.

Vooruitgaan is onmogelijk zonder daden en zonder deugdzaam gedragen lijden. En dit alles omgeven met stilte.

Het is allernoodzakelijkst voor ons dat wij ons tegenover deze grote God het stilzwijgen opleggen: aan ons strevend verlangen én aan onze tong. De enige taal die hij verstaat, is het zwijgen van de liefde.

Wat mij zo aanspreekt in deze benadering is, dat er niets in hokjes wordt geplaatst. Het zwijgen is niet beter dan het bezig zijn. De stilte wordt verbonden aan activiteit. Deze passages zijn voor mij niet oud. Ze treffen mij nu, en niet omdat ze vier eeuwen geleden zijn geschreven. Voor mensen die niet in zo'n tekst kunnen doordringen, hoop ik dat ze iets anders vinden waardoor er gevoeligheid voor stilte ontstaat. Mij heeft déze tekst veel gedaan.

Het feit dat stilte in verband wordt gebracht met praktijk of daden en lijden, is voor mij zo veelzeggend. Met praktijk of daden wordt bedoeld: gewoon je werk doen; doen wat je doen moet. Dus niet alleen werk in de huidige betekenis van baan of carrière, maar ook: zien wat er nodig is, jezelf inzetten voor anderen. Bij lijden denken we zo gauw alleen maar aan ernstige zaken. Maar hier wordt ook bedoeld dat je onaangename momenten niet uit de weg gaat, dat je bij moeilijke zaken door de zure appel heen bijt. Met dit lijden worden wij elke dag wel een paar keer geconfronteerd, als we echt in de praktijk leven, en doen wat we menen te moeten doen. De stilte kan dus niet los gezien worden van deze activiteit of van dit lijden.

Het zwijgen van de liefde in het derde citaat vooronderstelt een taal van de liefde. Die kunnen we alleen maar leren verstaan wanneer we al zoekend het spreken van de liefde leren ontdekken. Die taal van de liefde is natuurlijk alleen taal in overdrachtelijke zin. Het gaat om andere tekenen en om een ander zintuig, waardoor liefde voelbaar wordt. Een voorbeeld. De ene mens zegt tegen de ander 'Ik hou van je' of 'Ik wil veel voor je betekenen'. Maar daarmee alleen komt de liefde nog niet door. Dat gaat vanuit het spel van vraag en tegenvraag, vanuit ervaringen ónder woorden, ervaringen die verhelderen wat je over en weer ziet. Het gaat om het wederzijds innerlijk luisteren door woorden heen. En het 'zwijgen van de liefde' lijkt minder vreemd dan het is, wanneer we er de ervaring bij betrekken dat echte liefde geen woorden nodig heeft. Zoiets kun je pas zeggen wanneer je geprobeerd hebt te luisteren naar de taal van de liefde.

Zo gaat het ook met het luisteren naar God. Dat gebeurt doorgaans door het luisteren naar mensen, naar wat achter de woorden zit. Uiteraard is er ook rechtstreeks contact met God mogelijk – dat leert ons de mystiek – maar dat komt niet zo veelvuldig voor. Het spreken van God betekent voor mij dat ik mijn leven laat doorlichten in contact met mensen. Als ik dat spreken van God niet kan beluisteren, dan komt dat omdat ik te vluchtig met mensen verkeer. Dan kan het ook niet stil worden in mij. Dan blijft het 'zwijgen van de liefde' een nietszeggende frase, zoals ook de naam 'God' voor velen nietszeggend is.

Over de naam 'God' kan ik alleen iets onder woorden brengen in beeldtaal. Hij is bijvoorbeeld het fundament waarop ons leven is gebouwd. Reëel fundament, maar onzichtbaar. Er is een heel groot deel van de werkelijkheid dat wel bestaat, maar dat we niet kunnen zien. Denk maar aan tv-golven. Ik denk dat zoiets ook op geestelijk terrein speelt. Wij leven temidden van vele golven uit onzichtbare bron. Het valt mij vaak op dat er bij veel jongeren een hang is naar het zoeken van het goddelijke, als onpersoonlijke energie. Maar ik geloof dat je met de categorie 'persoon' veel verder komt. Overigens denk ik dat de meer ervaren mensen de jongeren allereerst behulpzaam kunnen zijn bij het niet uit de weg gaan van de vraag: "Wie ben ik?" Daar is in elk geval stilte voor nodig, en vanuit die vraag kan dan naar de rest van de werkelijkheid worden gekeken.

Nog een andere naam voor God vond ik onlangs op een vakantie, in de Vendôme. Daar stond op een kerkje een spreuk van Augustinus. Vrij vertaald luidt die als volgt:

> *God spreekt in het verborgene. Hij spreekt tot velen in het binnenste van hun zijn, en Zijn woord weerklinkt in de schoot van een diepe stilte.*

Als je God een naam moet geven, noem Hem dan Stilte. God laat zich niet horen. Hij laat zich wel zoeken, en is waarneembaar wanneer je luistert naar wat anderen over hun zoeken weten te vertellen.

Er zijn ook dagen die verglijden zonder stilte. Maar je moet het jezelf niet te moeilijk maken! Sommigen denken dat je eerst al je zorgen moet loslaten voor je stil kunt worden, maar het gaat er meer om dat je enkele momenten van de dag even stilstaat mét alles wat in je speelt. Ook al is dat maar één seconde, het is heel belangrijk. Het is goed om je van tijd tot tijd de vraag te stellen: hoe leef ik zo plezierig en leefbaar mogelijk voor mezelf en zo vruchtbaar mogelijk voor anderen. Je kunt dan eens nagaan wat je te veel en wat je te weinig doet. Ik noem niet voor niets als eerste het woordje 'plezierig'. Het is heel belangrijk om op zijn tijd te kunnen genieten. Je moet ook eens buiten jezelf kunnen springen, en je ontspannen in de breedst mogelijke zin. Dat wordt vaak vergeten in gesprekken over bezinning en stilte.

Het woord stilte betekent niet dat ik andere dingen niet doe, dat ik een tegenstelling creëer met andere aspecten van de werkelijkheid, dat er barricades worden opgeworpen. Veel mensen denken dat 'leeg worden' in de stilte betekent dat je alles buitensluit. Dit leeg worden betekent veeleer dat je ruimte maakt in jezelf voor de ander. Daarom kan stilte ook niet betekenen dat je jezelf inkapselt. Dat is heel ongezond. Bij stilte gaat het er altijd om dat de ramen opengaan, opdat er iets binnen kan komen. Er zijn ook mensen die een stiltecentrum binnenlopen, en dan zo'n scheiding ervaren tussen de wereld binnen en buiten, en die teleurgesteld raken bij het idee weer terug te moeten naar de 'onvolmaakte werkelijkheid'. Zo is het niet. De ware stilte is altijd verbonden met het volle leven.

In de muziek vind ik uitingen die stilte oproepen. Vooral componisten als Vivaldi en Monteverdi hebben die golvende beweging waardoor je wordt opgenomen in de stilte. En in deze tijd iemand als Benjamin Britten; die verstaat die kunst ook. Ook sommige gedichten hebben het, bijvoorbeeld het gedicht *Door de stilte heen* van Gabriël Smit. Het geeft precies weer wat ik tot nu toe misschien nog niet duidelijk onder woorden heb kunnen brengen.

Door de stilte heen

Al dagenlang probeer ik door de stilte
heen te luisteren, – de bloemen hier
op tafel voor mij zijn zo open, willen
spreken, maar ik kan ze nog niet
verstaan, – nog te veel dag is binnen
mij nagebleven, nog te veel zien
van vervalste kleuren, botte dingen,
ik heb nog geen eigen lichtverschiet.

Zo stil worden dat uit zwijgen woorden
bloeien van over de grens van leven
heen, een enkele stem, een enkele vraag,
en daarop dan niet angstig voor de
aandacht van de bloemen antwoord geven,
een eigen woord, – ik hoop dat ik het waag.

Gabriël Smit[1]

---

[1] uit: *Evenbeeld.* Baarn: Ambo. 1981, p. 14.

17

Een teken voor het mysterie mens

FRANS TEUNISSEN

Hij was kapelaan en werd vervolgens personeelsconsulent, eerst in een academisch ziekenhuis en daarna aan de Katholieke Universiteit Brabant. Als consulent was hij een mentor voor velen. Hij werd voorzitter van de universiteitsraad en daarna secretaris van de Tilburgse Letterenfaculteit. Nu is hij secretaris van het Centrum voor Wetenschap en Levensbeschouwing.

Waarom een stiltecentrum? Toen ik aan de Tilburgse universiteit afscheid nam als voorzitter van de universiteitsraad wilden we nog graag enkele ideeën realiseren: het percentage ontwikkelingshulp verhogen, als universiteit lid worden van Amnesty International en een centrum oprichten voor bezinning op de rol van de wetenschap. De Katholieke Universiteit Brabant heeft een bijzondere status. Jarenlang is daarover gepraat. Hoe geef je vorm aan je identiteit? Maar het onderwerp leek taboe. Om uit de impasse te komen hebben het College van Bestuur en de universiteitsraad een Centrum voor Wetenschap en Levensbeschouwing opgericht. Dit Centrum heeft een tijd geleden een boek uitgebracht onder de titel *Wat Bezielt de Universiteit?* Het zijn gesprekken met studenten en docenten over de ontwikkeling van hun levensbeschouwing. Dan zie je enorme verschillen én frustraties. Het instituut kerk heeft in deze tijden kennelijk te weinig vormen en stimulansen voor gesprekken over inspiratiebronnen. Er is ook veel irritatie opgeroepen door gemoraliseer. De verhouding tussen moraal en spiritualiteit is ernstig verstoord. Soms begrijp ik echt niet dat mensen niet door hebben dat we in deze tijd anders moeten omgaan met het verticale aspect van de mens. Bij 'katholiek' denken velen direct aan een kerk met een bepaalde groepering mensen. Maar 'katholiek' betekent letterlijk 'voor het geheel' (kata holos). Het gaat om een inspiratiebron voor iedereen. Zo kwamen we op stilte. Stilte kan mensen verbinden; je hoeft er alleen maar op eigen manier te zijn.

Veel mensen hebben gereageerd met: "Wat goed zeg, dat je een half miljoen hebt weten te krijgen voor zo'n apart, veelzeggend gebouwtje! Maar we hebben eigenlijk toch veel meer behoefte aan een goede collegezaal. En voor dat geld hadden wij ook vijf jaar een docent kunnen hebben." Ik kan daar niet in meegaan. De universiteit heeft miljoenen geïnvesteerd in een 'high tech' bibliotheek met 'de modernste studieplaatsen van Europa'. En terecht. Waarom dan geen apart teken om de aandacht te vestigen op levensbeschouwelijke vragen? Trouwens, een overheidsinstelling mag geen cent betalen voor zo'n gebouw. Bedrijven en instellingen buiten de universiteit hebben dit stiltecentrum gefinancierd. Natuurlijk hadden we kunnen volstaan met een symbool. Er staan hier prachtige bomen tussen al het beton! We hadden ook een ruimte kunnen vragen in een ander gebouw. Maar naar mijn mening is dat niet voldoende.

Misschien moet ik hier een persoonlijke noot toevoegen, voor ik verderga. Ik ben opgegroeid in een tijd met vaste standaarden in politiek, kerk, krant, school en vakbond. Ik heb alle structuren en zuilen afgebroken zien worden. En toch zie ik om mij heen dat iedereen uiteindelijk stuit op vragen die te maken hebben met vóór onze geboorte en ná onze dood: Wat komen wij hier doen? Wat voegen wij toe aan het bestaan? De ene levensfase geeft daar meer aanleiding toe dan de andere, maar in mijn werk als personeelsconsulent en studentenmentor heb ik gemerkt dat iedereen op een of andere manier door deze vragen wordt getroffen, geboeid of geïnspireerd.

Ik heb ook ondervonden dat er iets kapot gaat, zodra je die vragen in een systeem dwingt of in een structuur betrekt. Ik denk ook dat daarom de structuren die na de oorlog zijn opgebouwd, moesten verdwijnen. Die structuren waren te menselijk, te veel beïnvloed door oordelen over de andere systemen. Natuurlijk moet er veel geregeld worden tussen mensen, maar de echte geboden worden – heel mysterieus – boven op een berg aan de mens overhandigd, in de stilte van schepper en schepping, in het suizen van de wind. Daarover wordt niet gestemd zoals op een constituerende vergadering voor vrijheid, gelijkheid en broederschap. Ik kan het ook anders zeggen. Met de trits geloof-hoop-liefde kunnen wij mensen wel uit de voeten als het gaat om liefde in allerlei vormen, en hoop op een goede toekomst voor onze kinderen. Maar zodra het gaat om geloof in de mens die iets van ons nodig heeft, lijkt alle perspectief verdwenen.

Ik kan het nog anders zeggen. Er is altijd veel aandacht geweest voor kerkelijke leerstellingen en systemen. Maar daardoor is de aandacht voor de persoon Jezus zoals hij leeft, naar de achtergrond verdrongen. Dit klinkt natuurlijk nog abstract. Maar die persóón heeft iets ervaren van voor en na zijn leven, van dat wat wij 'eeuwig' noemen. Jezus noemde dat 'God de Vader'; anderen noemen dat nu 'God, de Moeder' of hebben nog een ander woord voor dat niet-benoembare. Die persoon Jezus heeft iets van 'de andere kant' ervaren. Dat merk je bijvoorbeeld aan zijn niet-veroordelen van anderen. Natuurlijk moet je oordelen, maar wij verwarren dat vaak met véroordelen.

Ik heb ervaren dat er heel wat gebeurt, wanneer je mensen niet afschrijft maar ze in alle stilte het voordeel van de twijfel gunt. Je moet altijd proberen om aan mensen het beste mee te geven van wat je zelf hebt ervaren. Ik denk dat ik dat zelf heb ervaren, omdat men mij geleerd heeft open te staan voor de stilte, omdat ik zo heb leren bidden. Dat was toevallig van een van mijn docenten aan het Groot Seminarie in Haaren, bisschop Bluyssen.

Mensen vragen mij vaak: "Wat moet ik daar nou, in zo'n stiltecentrum? Is er een programma of zo?" Nee, het is en blijft onduidelijk en vaag. Vragen van voor het begin en na het eind, blijven vaag. Die lossen wij mensen nooit op. Dat is nu eenmaal het lot van de mens. Het is de mens alleen gegeven om er iets bij te vermoeden. Misschien is vaagheid niet het goede woord. Het is eerder het mysterie achter de realiteit. Dat geheim blijft achter de dingen zitten, maar je kunt het wel laten oplichten. Bijvoorbeeld in verwondering over schoonheid of in opengaan voor muziek of in verbazing over hoe iemand gestalte geeft aan succes, en noem maar op.

Misschien wordt er in dit centrum wel eens een tekst voorgelezen, of hangt er een schilderij, of wil iemand met lichteffecten het mysterie van het leven omcirkelen. Dankzij alle jongeren hier op de campus is er creativiteit genoeg. En een heel belangrijke betekenis van het woord 'universiteit' is ook de universitas-gedachte, het samengaan van docenten en studenten met verschillende studierichtingen. Wij hebben elkáár wat te zeggen! Als we maar niet te snel onze mond opendoen. En alsjeblieft geen regelingen of programma's. Dan krijg je een binnenwereld waar geen bovennatuur in kan doordringen.

Voor één ding ben ik bang. De reactie van: "Goh, daar gebeurt toch aardig wat op het punt van identiteit. Het is heel goed om studenten in hun academische vorming ook iets levensbeschouwelijks mee te geven." Natuurlijk is dat goed. Maar zoiets blijft alleen goed zolang de spreker aan het woord is! Als er meer sprekers komen, hebben we weer een structuur en een systeem. Dan komt er weer iets in 'projectvorm'. Dan hebben we over een tijdje weer iets 'gedaan'. Waarom mag er niet zomaar voor ieder mens zoals die is, een ruimte zijn, 'een ruimte met niets', een teken voor het mysterie mens?

18

Het boven-ondergrondse

MARTIEN JANSEN, AD ROEFS

Twee architecten. De een gaf het idee, de ander werkte het uit.
De een wilde ondergronds, de ander bovengronds. Hun samen-
werking heeft geleid tot een stiltecentrum dat direct al verschil-
lende bijnamen kreeg: 'commandotoren' en 'oog in het gras'.

(M.J.) Soms denk ik wel eens: is dit stiltecentrum naast zo'n
ultramoderne bibliotheek geen aalmoes van de informatie-
maatschappij? Het liefst was ik met dit centrum helemáál
onder de grond gebleven, met daarboven wat glasscherven
blinkend op het gras. Ik wilde een bescheiden gebouw dat
zich onopvallend voegt. Maar het werd te duur. Bij elk
nieuw ontwerp kwam het iets meer boven de grond.

Ik wilde graag een geheim hol in het bos. Het moest een
crypte worden, en geen kerk. Door mijn geschiedenis ben
ik gefascineerd geraakt door kerken. De gedachte om een
stiltecentrum ondergronds te maken als een crypte is ontstaan in samenwerking met professor Geert Bekaert als
mentor. Het zou een plek moeten worden die er alleen maar
is voor zichzelf, haar eigen werkelijkheid. We wensten ook
geen beeld op te richten om stilte ten toon te stellen op de
campus. Ik ben geboeid door architectuur als element van
een realiteit die in het alledaagse wordt beschreven en
beleefd.

Aanvankelijk werd er slechts gesproken over het aantal
vierkante meters bezinningsruimte. Daarna werd in samen-

werking met Geert Bekaert een meer kwalitatieve inhoud gegeven aan het programma van eisen. Ik wilde een cilindervorm met richtingloosheid, een pantheon der mensheid dat zichzelf niet etaleert. Voor alles wilde ik iets terughoudends. Opgelegde stilte is zo angstaanjagend. Je moet voor stilte kunnen kiezen. De volgende woorden met betrekking tot het stiltecentrum zijn van Geert Bekaert:

> *Architectuur stelt zich zelf niet ten toon. Men wordt erin opgenomen, men treedt in haar licht dat niet van haar is, in haar ruimte die niet de hare is, in haar materie die naar de oorsprong van alle materie verwijst, de stilte waarin alles herboren wordt.*

Eigenlijk had ik zelfs liever helemaal geen deur gehad in het gebouw. Het gaat mij om het respect voor de stilte. Elke verwijzing naar een functie zou afbreuk doen aan de bedoeling. In samenspraak met de opdrachtgevers is – uiteindelijk om financiële redenen – een andere uitwerking aan het idee gegeven. Maar het abstracte idee van de ronding in de grond is gebleven.

(A.R.) Toen ik het idee uitwerkte, merkte ik pas in welke spanning wij tweeën stonden. Die intensiteit heeft in het gebouw vorm gekregen. De woorden van Bekaert zijn voor mij niet tot leven gekomen, en toch was ik gegrepen. Als je ter bescherming niet onder de grond kunt kruipen, ben je verloren. De buitenwereld is altijd een hindernis. Voor stilte heb je iets nodig dat je afschermt.

(M.J.) Misschien kan ik nog dit toevoegen. Dit gebouw heeft vorm gekregen bij de gratie van de andere gebouwen. Er is geen lijn of richting die zich conformeert aan de omringende gebouwen. Dat is ook noodzakelijk. Dit centrum staat vlak bij een bibliotheekgebouw. Daar wordt documentatie beheerd en informatie verstrekt. Daar is veel papier, daar zijn veel data. Een uitdaging zou juist zijn geweest om als programma-onderdeel een stiltecentrum in dit laboratorium van alfa- en gammawetenschappen op te nemen. Een samengaan zou ook veel beter geweest zijn dan het uiteenleggen van functies. Ik blijf het stiltecentrum zien als complementair aan het wetenschappelijk bedrijf.

(A.R.) De spanning onder het samengaan en het uiteenleggen is ook voelbaar in het interieur. Ik geloof dat een persoon in zichzelf houvast kan vinden, en dat dat vrijmaakt. Ken je *Het Boek der Rusteloosheid* van Fernando Pessoa? Daarin wordt prachtig beschreven hoe een boekhouder vanuit de stilte van zijn kamer over Lissabon uitkijkt, en innerlijk intenser leeft dan buiten in de stad mogelijk is. Het leven in gedachten is de enige vrijheid die wij hebben. De rijkdom ligt in jezelf. Zodra je in de buitenwereld bent, heb je geen vrijheid meer om onbeperkt welke gedachte dan ook in jezelf te laten opkomen. Een stille plek is voor mij de enige plaats waar zoiets kan, waar iets aanwezig kan blijven wat helemaal van mij is, wat helemaal 'mij' is.

(M.J.) Stilte is eigenlijk overal te vinden: in de auto, in een kerk, op het toilet of in een museum. De fysieke ruimte doet er niet zoveel toe. Het gaat om de mentale ruimte. Je zou ook kunnen zeggen dat het om de mentale tijd gaat. In deze tijd van gejaagdheid in het onderwijs heeft niemand meer de luxe om een jaar schijnbaar niets te doen. Wie heeft de moed om niet produktief te zijn, en om te ontdekken dat zoiets juist produktief is?

Het ontwerp is uiteindelijk een teken geworden van die mentale ruimte en mentale tijd. Het heeft al namen gekregen als 'oog in het gras', 'het ei', 'de omgekeerde wastobbe'.

Het 'oog in het gras' past nog het beste bij het oorspronkelijke idee van de op het gras liggende blinkende glasscherven boven een ondergrondse ruimte met lichthappers als vensters naar de hemel.

(A.R.) We hebben gekozen voor zink als bepantsering tegen de buitenwereld; de kleur is dus 'battleship grey'. Het lijkt nu of de golven van het gras terugwijken voor een commandotoren van een onderzeeër. Ik bedoel niet het agressieve, maar de besturing van het onzichtbare. Zink is een heel zacht materiaal. Er komen gauw deuken in. En je kunt er makkelijk in krassen, dan gaat het blinken. Het is een heel dun laagje van één millimeter. Het oogt heel massief, maar in werkelijkheid is het heel kwetsbaar.

Het is niet alleen het afschermen in 'het huis tegen de wereld'. Het is ook de bescherming van de binnenkant. Kijk, hier is een grote afstand tussen buitenmuur en binnenmuur. Bovendien is de buitenmuur hellend en de binnenmuur verticaal. Voor de buitenwereld wordt dus niet uitgedrukt wat er binnen gebeurt. Er is alleen dat lage brede diepe raam tegenover dat smalle hoge. Eigenlijk valt er niets uit te leggen over de binnenkant.

19

Grond voor het nog ongehoorde

HENK WITTE

Hij is universitair docent theologie en houdt zich bezig met kerk en oecumene. Vanuit de Stichting Theologische Faculteit is hij bestuurslid van het Centrum voor Wetenschap en Levensbeschouwing. Zijn interesse gaat uit naar de levensbeschouwelijke identiteit in met name onderwijsorganisaties en ontwikkelingen in het Nederlandse katholiscisme.

Hoe zal het zijn als je er naar binnengaat? Dat hebben wij ons dikwijls afgevraagd. Zo'n in de grond verzonken ovale ruimte tussen de hoge betongebouwen, zo'n ronde binnenwereld te midden van de vierkante buitenwereld. We hebben nog overwogen om een ondergrondse ingang aan te leggen. Dan behoeven bezoekers niet publiek te maken dat ze richting binnenkant gaan.

Hoe zal het zijn als je er binnen bent? Wat er ook zal zijn, deze ruimte bestaat niet meer als belangen er bezit van nemen. Stilte mag niet worden ingevuld. Er zijn heel veel mensen met heel veel boodschappen. Maar daar gaat het niet om. Het gaat om het generatieve moment, om het groeien van niets tot iets, tot levensvatbaarheid buiten. Zo zijn rond het Centrum voor Wetenschap en Levensbeschouwing het Podiumcafé en plannen voor het cultuurfilosofische tijdschrift *Nexus* ontstaan. Het gaat om de conceptie. Ideeën moeten gestalte krijgen buiten dit stiltecentrum.

Er zullen wel manifestaties en performances zijn opdat er iets uit de stilte kan breken. Er zullen wel mensen zijn die vertellen over de achterkant van hun leven en werk. Alles is goed, als het ontvankelijkheid oproept. Deze ruimte krijgt pas waarde als ontvangstbodem, als grond voor het nog ongehoorde.

Het gaat niet om functionele noodzakelijkheid. Het gaat om de verbinding van binnenwereld en buitenwereld. Iedereen weet wat voor opgave dat is. En velen weten dat de echte verbinding niet daar tot stand komt waar wij het proberen. Het is een kwestie van ontvangen. Net zoals bij studeren. Ik krijg de materie niet in mijn greep, maar de materie mij. Dan ontstaat enthousiasme. De bereidheid tot ontvangen kan gestimuleerd worden wanneer je voeling krijgt met je plaats in het geheel, wanneer je eens echt je hoofd kunt buigen voor het onbegrijpelijke, wanneer je de moed hebt zomaar te ontvangen. En of dat nu eens per jaar is of elke dag, dat maakt niet uit. Een stiltecentrum kan daartoe uitnodigen.

Dat wat er in deze ruimte zou kunnen gebeuren, kan heel goed worden aangeduid door te kijken naar veranderingen in onze cultuur van de laatste halve eeuw. Ze gelden zeker ook voor de katholieke cultuur. Er zijn drie belangrijke tendensen die ons voor drie uitdagingen stellen. Ik noem eerst de tendensen.

Ten eerste, de verschuiving van collectieve naar individuele identiteitsbeleving. Toen de emancipatie van groepen en zuilen in jaren zestig was voltooid, kwam er meer ruimte voor persoonlijke oriëntatie. Persoonlijke relaties zijn veel belangrijker geworden. Maar daarmee krijg je ook het probleem van overschreeuwd worden door de ander of zelf domineren, of het probleem van geen contact hebben. Vergelijk het met een ellips. Als de spanning tussen de twee brandpunten goed is, is de ruimte het grootst. Als ze te ver uit elkaar raken, is de spanningsboog niet houdbaar en ontstaan er twee losse cirkels. En als ze te dicht bij elkaar komen, wordt de ruimte kleiner, één cirkel, en ontstaat het gevecht tussen de brandpunten wie onder en wie boven ligt.

Ten tweede, de secularisatie. De godsdienst is niet meer het overkoepelende zingevingssysteem. Als allerlei aspecten van het leven niet meer overschaduwd worden door het 'hemels baldakijn' wordt de kerk vanzelf ook één aspect van het leven, dan wordt traditie een marginaal verschijnsel. Het gevolg is fragmentatie en versnippering, en stagnatie in het doorgeven van waarden.

Ten derde, de ontwikkeling van een monocultuur naar een pluriforme cultuur. Er zijn de afgelopen decennia zoveel meer mogelijkheden bijgekomen! Maar daarop was de kerk nauwelijks voorbereid.

Door deze drie tendensen staan er drie dingen op het spel, krijgen wij drie uitdagingen.

Ten eerste, de individualisering bepaalt bij ons de vrijheid. Mensen die geproefd hebben aan de persoonlijke emancipatie zijn als de dood om die weer kwijt te raken. En uit angst voor diezelfde vrijheid sluiten anderen zich aaneen in een nieuw soort collectivisme dat nu fundamentalisme wordt genoemd. De uitdaging zit in de vraag: hoe krijgen we een goede verhouding tussen persoon en gemeenschap, tussen vrijheid en verantwoordelijkheid?

Ten tweede, door de secularisatie is godsdienst een privé-zaak geworden. Iets uit de binnenkamer waar je niet over praat, of mag praten. Dit is de taboeïsering van levensbeschouwing. Ook aan andere taboes kun je zien dat alles wat onbespreekbaar wordt gemaakt, op den duur gaat woekeren of afsterven. Privébeschouwingen die niet bespreekbaar en daardoor niet corrigeerbaar zijn, kunnen op den duur niet gezond blijven. In elke persoonlijke visie zit bovendien iets wat niet van die persoon alleen is, maar ook anderen aangaat. De uitdaging zit hier in de vraag: hoe houden wij elkaars levensbeschouwing gezond?

Ten derde, door de pluriformiteit is er een hele markt van levensbeschouwingen, van uitlopers van het marxisme tot aan heel esoterische. De moderne mens is een reiziger die overal iets van zijn gading meepikt. Het risico van een samenraapsel zonder samenhang is dan heel groot. In een bibliotheek kunnen alle boeken worden verzameld, maar hoe krijg je als mens samenhang tussen brokstukken en fragmenten? Wat is het coherentieprincipe? Het probleem van de zo noodzakelijke totaalvisie plaatst ons voor de uitdaging die bekend staat als de waarheidsvraag. Die waarheidsvraag is in feite de hedendaagse vertaling van de Godsvraag. Maar díe vraag kan niet gesteld worden omdat wij er in onze jeugd mee zijn doodgegooid. Door de manier van omgaan met die vraag werden veel zaken niet toegelaten. Daarmee werd de vraag in feite ontkracht. Christelijke zingevingssystemen hebben altijd iets beperkends gehad.

Ik denk dat we de drie uitdagingen alleen maar aan kunnen als we onze ontvankelijkheid ontwikkelen, als er meer of weer grond komt voor het nog ongehoorde. Ik denk dat zoiets nodig is om een persoon ín een gemeenschap tot zijn recht te laten komen, voor een gezond innerlijk evenwicht en voor samenhang tussen alle fragmenten in de werkelijkheid.

Hoe dan ook, zoiets kun je alleen ontvangen. Er zullen mensen zijn die een verblijf op deze grond in verband brengen met God. Er zullen anderen zijn die over vrede spreken. Er zullen nog anderen zijn die geen naam gebruiken. Het zij zo.